D1263833

PETITES CHRONIQUES
IDENTITAIRES

CONCOURS LITTÉRAIRE
MORDUS DES MOTS

DÉJÀ PARUS

Petites chroniques du crime
Nouvelles policières, 2010.

Petites chroniques de notre histoire
Récits historiques, 2011.

PETITES CHRONIQUES IDENTITAIRES

RÉCITS ET PARCOURS

Collectif d'élèves

Mordus des *mots*

CONCOURS 2011-2012

Catalogage avant publication de Bibliothèque et Archives Canada

    Petites chroniques identitaires : récits et parcours.

Publ. aussi en formats électroniques.
ISBN 978-2-89597-290-7

    1. Écrits d'élèves du secondaire canadiens-français — Ontario. 2. Prose d'élèves canadienne-française — Ontario. 3. Nouvelles canadiennes-françaises — Ontario. 4. Identité chez l'adolescent — Anthologies.

PS8235.S4P476 2012   C843'.60809283   C2012-902142-3

Les Éditions David remercient la Fondation Trillium de l'Ontario et l'Université d'Ottawa pour leur contribution à cette publication.

Les Éditions David
335-B, rue Cumberland
Ottawa (Ontario) K1N 7J3
www.editionsdavid.com

Téléphone : 613-830-3336
Télécopieur : 613-830-2819
info@editionsdavid.com

Tous droits réservés. Imprimé au Canada.
Dépôt légal (Québec et Ottawa), 2e trimestre 2012

Préface

Pour la troisième édition du concours littéraire provincial *Mordus des mots*, les Éditions David m'ont demandé d'encadrer des jeunes de 11e et de 12e année dans l'élaboration et la rédaction d'un récit sur la question identitaire. Cette question d'actualité a déclenché une réaction des plus enthousiastes de la part d'une quarantaine d'établissements scolaires, qui se sont rapidement inscrits au concours et ont encouragé leurs élèves à y participer.

Pour moi, une belle aventure allait commencer. Partager et parler du fait identitaire, colonne vertébrale de mon travail et de mes livres.

De Sudbury à Sarnia, en passant par Mattawa et Toronto entre autres, les jeunes se sont questionnés sur le fait identitaire. Une construction culturelle ? Une orientation sexuelle ? Un héritage ? Un choix de langue ? Une croyance ?

Au cours des ateliers que j'ai donnés dans certaines des écoles inscrites, nous avons avec les élèves – et les enseignants – partagé et confronté nos points de vue, élaboré les composantes du récit court et décortiqué l'importance des personnages. Les élèves ont laissé libre cours à leur imagination, à leur sensibilité ou à leur vécu et ont créé des récits courts d'une diversité rafraîchissante et, pour certains, d'une maturité étonnante. J'ai pris plaisir à découvrir, dans chaque ville traversée, les références culturelles et les récits identitaires de chacun, puis à lire les écrits des élèves sélectionnés, à les comparer et à les superposer à leurs interventions faites lors des ateliers.

Les Éditions David ont reçu au total plus d'une centaine de nouvelles de grande qualité, témoin infaillible de l'intérêt et de la créativité des jeunes francophones de l'Ontario pour le récit identitaire.

Choisir et retenir une trentaine de textes pour le troisième recueil de *Mordus des mots* a été une tâche difficile et passionnante. Je pense que les récits retenus illustrent bien le paysage culturel et démographique de la jeunesse francophone en Ontario aujourd'hui et qu'ils révèlent une perception intelligente, émouvante et personnelle d'un fait on ne peut plus d'actualité.

Merci à tous les élèves d'avoir participé au concours et aux Éditions David de m'avoir fait vivre cette belle aventure. Je souhaite bonne continuation et bonne inspiration aux jeunes Franco-Ontariens dans leurs futurs écrits et bonne lecture à vous, amateurs de nouveaux talents.

Aurélie Resch
Auteure-conseil
Concours de création littéraire
« Mordus des mots » 2011-2012

À LA RECHERCHE DE SES ORIGINES

La couleur de l'âme

J E N'AVAIS JAMAIS cru un jour me retrouver dans un avion en direction du Congo, pays natal de mon père. Mais contre toute attente, je me retrouvais installé confortablement dans mon siège en classe économique, branché à mon tout nouvel iPod. « Bonjour Congo, j'arrive », pensai-je avec lassitude avant de jeter un coup d'œil vers mon père dont la fierté animait le visage. Après le décollage de l'avion, le vrombissement du moteur m'alourdit. Je fermai les yeux et fus aussitôt inondé de souvenirs.

* * *

Ce jour fatidique semblait être une journée ordinaire où j'étais censé être à l'école. J'étais surexcité, car j'allais enfin pouvoir offrir une somme d'argent respectable à mon père, de ma propre poche. Depuis la mort de maman, mon seul but avait été de pouvoir nous sortir du ghetto dans lequel nous croupissions, pour mieux vivre le grand rêve américain. Par malheur, on m'avait surpris en train de vendre de la drogue et c'est un professeur qui avait dû me ramener au bercail, la mine basse. L'appréhension de la colère de mon père me serrait la gorge.

Contrairement à mes craintes, il m'accueillit calmement et ne me réprimanda point. Il ne me posa qu'une simple question : « Quel est ton grand rêve ? » La question me prit au dépourvu. Je fus encore plus surpris lorsque je réalisai que je n'en avais aucun. Personne ne m'avait jamais demandé une telle chose. Par ici, avoir des rêves est une faiblesse vouée à la déception. Presque personne, dans le Bronx, ne nourrit l'espoir d'atteindre ses rêves. Mieux vaut avoir de pauvres aspirations et vivre au jour le jour. Je sortis perplexe de cette réflexion. Qui étais-je sans rêve ? Je devenais comme tous les adultes ici-bas : des automates qui répètent les mêmes comportements pour survivre. Mais je ne voulais pas seulement survivre, je voulais vivre. Vint à mon esprit la fameuse phrase de Martin Luther King : « *I have a dream !* » Mais moi, je n'en avais pas.

— Mon fils, tu as en toi tout ce qu'il faut pour devenir un honnête homme. À la place, tu as décidé d'aller chercher de l'argent facile. La vie est dure, mais tu dois avoir foi en notre Créateur. La couleur de ta peau ne reflète pas ton âme. Tu peux te trouver d'autres repères auxquels associer ta personne. Même si toute la planète crachait à ton passage, marche la tête haute parmi ces hommes blancs et sois fier de qui tu es. Tu n'es pas un « pauvre homme noir ». Tu es un Congolais issu d'une famille respectable. Mon rêve est que mon fils se tienne debout.

Le verdict tomba : j'irais au Congo avec mon père pour essuyer mon déshonneur.

*　*　*

Les bruits de l'atterrissage me tirèrent brusquement de mes songes. À ma sortie de l'aéroport, nous fûmes accueillis par la grande famille. Cris de joie, accolades et embrassades fusèrent de partout. Je fus passé de mains en mains, entre des étrangers qui me disaient tous combien j'avais grandi. J'acquiesçais avec confusion, le sourire aux lèvres, jouant le jeu. «Vite que cette longue semaine se termine pour que je puisse retourner à ma vraie vie new-yorkaise et continuer d'être un adolescent insouciant avec mes amis», espérais-je alors qu'on nous emmenait au village natal de mon père.

À la maison familiale, les femmes commencèrent à s'affairer pour préparer la grande fête des retrouvailles. La cuisine devint leur atelier tandis que les hommes fumaient leur pipe en se racontant des histoires. Je me sentais un peu déplacé dans ce décor tout nouveau pour moi. Je décidai de prendre un peu de recul et allai faire une promenade dans le marché que j'avais aperçu, plus tôt, de la voiture. Ceci devrait remettre mes esprits à leur place et me permettre de me recentrer.

En mettant le pied dehors, je fus assailli par une valse d'odeurs, de bruits et de couleurs exotiques qui m'étaient étrangers. Ici et là, les gens négociaient amicalement des prix avec les marchands. Je me frayai un chemin à travers la foule qui, étonnamment, passait à mes côtés sans me remarquer. Pour une des premières fois de ma vie, je ne détonnais pas. Je me sentais enfin à ma place avec des gens de ma couleur, qui marchaient comme moi et parlaient comme moi.

Soudain, une jeune fille qui cirait les chaussures d'un homme en costume attira mon attention. Elle devait avoir environ 14 ans, ce qui voulait dire qu'elle avait quatre ans de moins que moi. Elle était agenouillée sur le pavé et ses vêtements étaient souillés par la sueur d'une longue journée de travail au gros soleil. Pourtant, un grand sourire illuminait son visage amaigri. Je me souvins alors de cette fois où mon père m'avait demandé de faire de menus travaux pour lui. Je les avais accomplis de mauvaise grâce, en ne cessant de me plaindre.

— Comment peux-tu sembler si heureuse alors que tu pratiques un métier aussi dégradant, lui demandai-je avec surprise.

— Il n'y a pas de sot métier, me répondit-elle. Je suis heureuse, car j'achète le pain de ma famille et je suis en santé. C'est tout ce qu'il me faut.

Je continuai ma marche un peu dans la lune, quelque peu déstabilisé par ce qu'une petite fille de 14 ans m'avait appris en si peu de mots. Un vieillard, que je n'avais pas remarqué, était assis non loin de nous et avait entendu nos propos.

— Jeune homme, tu ne viens pas d'ici, n'est-ce pas ? me demanda-t-il.

Je fus quelque peu gêné par sa remarque, car j'étais surpris qu'on puisse reconnaître que j'étais étranger.

— Assis-toi et prends un peu de nourriture avant de repartir, mon frère, m'offrit-il en me présentant une petite écuelle garnie pauvrement d'un peu de riz.

Il semblait si ravi de pouvoir partager son repas que je n'osai rien dire, ému pas sa grande générosité. Alors que je reprenais mon chemin, il me lança en riant :

— Sois un peu moins sérieux, mon homme ! Un sourire, c'est gratuit !

En m'arrêtant devant un marchand de thé pour me désaltérer, je remarquai une jeune femme enceinte qui traversait la rue, peinant à soulever ses sacs de nourriture. De l'autre côté de la rue, un garçon se leva sans qu'aucun adulte ne lui fasse signe et gambada en direction de la dame. Il prit ses sacs gentiment et l'accompagna jusqu'à sa maison, non loin de là. Il revint aussitôt et s'assit sagement sur le bord de la chaussée, en attendant que son père finisse de fermer son magasin.

En observant le petit garçon, je sentis l'ampleur de mon égoïsme. Alors que mon père était un immigrant qui avait travaillé fort pour m'offrir une belle vie, j'avais jeté par la fenêtre les valeurs qu'il avait tenté de me transmettre.

Je m'apprêtai à retourner à la maison. Mon père commencerait à s'inquiéter. En mettant mes mains nonchalamment dans mes poches, je sentis un objet familier. Je le retirai de ma poche pour trouver mon iPod, qui m'avait suivi toute mon adolescence. En ce jour où je retrouvais mon âme, cet objet me sembla superflu en comparaison de tout ce que je venais d'apprendre. Je me dirigeai vers le garçon qui attendait toujours son père et le lui posai dans la main.

— Ainsi, tu pourras écouter de la musique pour remplir l'attente, lui dis-je, heureux d'avoir embrassé mes racines congolaises.

Ses yeux brillants d'admiration valurent tous les iPod de New York. Je retournai à la maison le cœur en paix, car j'avais enfin retrouvé ma place, mon identité, ma maison, ma patrie.

— Papa, ton rêve est devenu ma réalité.

Madeleine Russell-Child
École secondaire publique De La Salle, Ottawa

Madeleine a 18 ans, est Québécoise et vit en Ontario français. Très jeune, elle a été encouragée à écrire pour s'exprimer. Elle est inscrite au programme d'écriture à l'École secondaire De La Salle d'Ottawa depuis sa 9e année. Elle envisage de devenir sage-femme.

Égarée dans ma réalité

CE SONT LES VACANCES *d'hiver et je fais une promenade avec mes parents. La musique des Fêtes retentit au travers des haut-parleurs du véhicule. En regardant par la fenêtre, je vois des lumières qui approchent à grande vitesse. Mon battement de cœur accélère. Le bruit du klaxon résonne dans tout mon être. Je regarde mes parents pour voir leurs traits... pour me réconforter mais... je ne les reconnais plus. Ma peur devient soudainement envahissante et je me mets à crier.*

MON CRI me réveille, mon corps est en sueur et j'ai le souffle coupé. Je fais toujours le même cauchemar. Les images angoissantes me hantent et, tout de suite après ce rêve récurrent, un sentiment de néant m'envahit. Je vois le visage de quelqu'un qui me semble familier et, chaque fois, j'en parle à mes parents. J'obtiens toujours la même réponse : ils me disent de ne pas m'inquiéter, que c'est seulement un rêve. Mais moi, je suis convaincue que c'est plus que cela.

Je me réveille au lever du soleil, un lundi matin. Un peu hypnotisée par les cauchemars du soir précédent, j'ouvre le rideau de ma chambre pour voir le temps qu'il fait. J'enfile mon chandail de laine et je rejoins mes parents. Là, sur la table de cuisine, je remarque une petite photo de nouveau-né :

il s'agit de ma nouvelle cousine, que mes parents regardent avec tendresse. Cette photo me fait réfléchir à mon enfance, dont j'ai très peu de souvenirs.

Une fois à l'école, je me rends à mon cours d'histoire. Aujourd'hui, le prof nous explique ce qu'est un arbre généalogique et nous parle de sites Web consacrés à la généalogie. Toute la classe a hâte de construire son arbre généalogique, tous semblent heureux de retracer leurs ancêtres. Moi, je ne connais rien de mon enfance ; mes parents ne me parlent jamais de quand j'étais petite. Je trouve que j'ai l'air d'un extraterrestre à côté d'eux. Mes parents sont courts et ronds alors que moi, je suis grande et mince ; depuis des années, je cherche des traits sur leurs visages qui pourraient m'appartenir. En vain.

Le projet de généalogie en tête, je retourne à la maison dans le but de persuader mes parents de me donner plus de détails sur ma naissance. À l'heure du souper, je questionne maman au sujet de mes origines, de mon enfance. Ses répliques ne pourraient pas être plus vagues. J'insiste :

— J'ai besoin de photos pour mon arbre généalogique.

Mes deux parents finissent par éviter le sujet en parlant de notre prochain voyage dans le sud. À chaque fois que je mentionne mon passé, ils détournent la conversation. Je monte dans ma chambre.

Un brusque choc me projette contre le siège de ma mère. Un bruit d'éclat de verre me fait sursauter et quand je réalise que la fenêtre est complètement détruite, je panique. Mes parents me fixent une dernière fois, d'un regard si intense que je me perds dans le vert de leurs yeux. « Je t'aime Aubrey... », disent-ils, avant de s'éteindre pour toujours...

Mes paupières s'ouvrent de façon douloureuse, j'ai un sérieux mal de tête. Mon corps commence à souffrir de mon angoisse. Je me lève et marche vers mon miroir pour examiner les traits de mon visage. Le premier détail que je remarque est l'éclat de mes yeux ; ils me paraissent plus verts qu'à l'habitude.

Soudain, un souvenir me revient avec intensité. Mes yeux ... mon rêve... le regard d'une femme... si intense... et si vert. La réalisation de ma découverte me fait trembler sans arrêt. « Non, c'est impossible... », me dis-je. Incapable de me tenir debout, je m'assois sur mon fauteuil et je pleure.

Une heure plus tard, lorsque je ne descends pas pour déjeuner, mon père Gilles m'appelle. J'entends sa voix qui accompagne ses pas dans l'escalier, mais aucun mot ne sort de ma bouche. Il entre dans ma chambre et m'aperçoit, immobile, le regard fixé sur une image de moi-même, radieuse, entourée de mes amies, le soir de mon dix-septième anniversaire. Nous avions essayé des masques faciaux et en appliquant la crème sur mon visage, ma meilleure amie Rebecca avait remarqué une cicatrice sur ma joue. Je n'avais jamais remarqué cette blessure, si minime mais si profonde. La pensée de cette réalité, niée par ceux qui m'entourent, me tourmente encore.

Après un long moment, mon père réussit à me sortir de ma torpeur, un engourdissement qui me contrôle depuis quelques jours. Il me secoue légèrement et me serre dans ses bras. Mon corps souffre encore de tremblements. *Toc, toc, toc...* Une éternité plus tard, ma mère vient nous rejoindre. Dans ma tête, je cherche désespérément une réponse à mon histoire. Alors je décide de prendre la main de ma mère :

— Maman, à qui sont ces yeux verts ?

On s'est installé devant le foyer, en silence. Mes parents ne savent pas comment aborder un sujet qu'ils évitent depuis si longtemps. Le bruit de l'horloge résonne dans la pièce. C'est mon père qui finit par rompre le silence :

— Ce que nous avons à te dire est difficile pour nous…

Ma mère réussit à prononcer ces mots :

— Nous croyons que tu es assez vieille pour savoir. C'est devenu difficile pour nous de te voir souffrir.

De ses mains tremblantes, mon père me remet un journal jauni par le temps. Je me mets à lire…

La Tribune, 22 décembre 2000 – Un couple a perdu la vie dans un accident de la route, samedi soir sur l'autoroute 39. Le drame est survenu vers 21 h. À l'arrivée des policiers, M. Paul Gauvreau, 39 ans, et son épouse, Aline Gauvreau, 36 ans, avaient succombé à leurs blessures. Leurs deux enfants ont été transportés à l'hôpital. Le conducteur d'une Toyota blanche 1998 aurait fui les lieux de l'accident. Les policiers enquêtent toujours sur les circonstances exactes de la tragédie.

Le discours de mon père se perd dans le brouillard de mes pensées. Je cours à ma chambre, j'attrape mon manteau et je me rends en vitesse chez Rebecca. Mes émotions sont à fleur de peau. Anéantie par la nouvelle, je suis déçue de ne pas avoir été mise au courant plus tôt.

Dans les semaines qui suivent, la conversation entre mes parents et moi est neutre, polie, mais sans émotion. On s'évite, car la vérité blesse. Mes parents passent de longues heures dans la salle de travail, à se parler à voix basse. Au bout de quatre semaines, ils m'annoncent :

— Enfile ton manteau et prends de quoi t'occuper, nous devons faire quatre heures de route.

Je n'ai vraiment pas le goût de faire un voyage. Je m'assois sur la banquette et je fais la moue. Malgré le tonnerre qui gronde et la pluie torrentielle, mes parents ne cessent de parler. Moi, j'ai l'intuition que quelque chose d'intense va se passer, que ma vie ne sera plus jamais la même. Lorsque j'enlève mes écouteurs, mes parents parlent d'une certaine tante excentrique – seul lien de parenté –, qui ne voulait s'encombrer de deux enfants...

Enfin, on arrive à la gare. Les nuages ont disparu et le soleil rayonne. Les gens descendent du train et c'est à ce moment même que je l'aperçois : grand, mince, les cheveux ébouriffés. Il me fixe de ses yeux verts perçants.

– Aubrey, on te présente... À ce moment, j'ai tout compris.

– Mon frère, dis-je avant qu'ils ne puissent terminer leur phrase.

Le jeune homme me ressemble tellement. Celui qui a été adopté par la tante qui ne voulait qu'un seul enfant : mon frère. François se met à courir vers moi, me serrant contre lui et ne cessant de répéter :

– Aubrey, je t'ai tant cherchée depuis l'accident... On a beaucoup à se dire, toi et moi...

Je me sens complètement étourdie et je ne capte que des bribes de ses paroles. Je sais seulement qu'à ce moment, je me sens enfin entière.

Ce soir-là, pour la première fois depuis tellement longtemps, j'ai bien dormi. J'ai enfin les réponses à cette question fondamentale, celle de mon appartenance.

Mélissa Fancy
École secondaire Franco-Cité, Sturgeon Falls

Mélissa est une élève de 11ᵉ année à l'École secondaire catholique Franco-Cité. Originaire du petit village francophone de Verner, Mélissa avoue que sa passion pour la lecture lui est venue très jeune. Elle compte poursuivre ses études en histoire à l'Université d'Ottawa.

La partie canadienne

L A *National Football League* est mille fois mieux que la *Canadian Football League*. La *Major League Baseball*, c'est géant comparé à... ah, mais... le Canada n'a même pas de ligue élite de baseball ! Même au hockey, il y a plusieurs années qu'une équipe canadienne n'a pas gagné la coupe Stanley. Les forces policières de Central Park à New York pourraient probablement envahir une grande partie de l'Ontario et du Québec avant même que l'armée canadienne ne s'en aperçoive. Le Canada, c'est la petite sœur pitoyable des États-Unis.

C'est pourquoi moi, Daniel Force, New-Yorkais de naissance, citoyen et résident des États-Unis, je me demande souvent pourquoi ma mère est fière d'être Canadienne. Quand mes parents m'ont informé que nous allions passer nos vacances aux Pays-Bas pour retracer les pas du père de ma mère, ancien combattant canadien de la Deuxième Guerre mondiale, je n'étais pas enthousiaste. Les États-Unis ont gagné la guerre. Sans doute, mon grand-père a-t-il contribué noblement à l'effort de son pays, mais je doutais qu'il n'ait rien fait de remarquable.

Nous sommes arrivés le 5 mai dans un petit village près d'Amsterdam, où ma mère disait peut-être pouvoir retrouver des indices de la présence de son père. Nous avons appris du centre de tourisme du village que ce jour marquait l'anniversaire de la fin des hostilités et que, durant les prochaines semaines, plusieurs festivités auraient lieu dans le village. On nous a aussi informés que le meilleur endroit où écouter les histoires de guerre des aînés du village était, par un heureux hasard, l'auberge où nous avions l'intention de demeurer. C'est donc avec espoir que mon père et ma mère sont entrés dans l'auberge, tandis que je traînais derrière eux, coiffé de ma casquette des Yankees.

Dès notre arrivée, nous pouvions sentir l'odeur de bons petits plats et entendre les discussions des villageois, tous heureux de se retrouver dans la chaleur douce et confortable de l'auberge. Après nous être installés dans nos chambres, nous sommes descendus et nous nous sommes approchés d'un vieillard qui captivait tous les clients. Il habitait ce village depuis sa naissance et une lumière brillait dans ses yeux bleus. Il était surtout bon conteur.

— J'avais cinq ans quand la guerre éclata. Je ne me souviens pas des premières années, mais les dernières sont encore claires dans ma tête. Ma famille et moi habitions ce village ; nous occupions une maison qui n'est plus là aujourd'hui, mais qui se trouvait à peine à quelques pas d'ici. En fait, cette auberge existait déjà dans ma jeunesse, et elle eut la malchance de devoir accueillir les Boches durant la guerre. L'humiliation sur le visage de M. Fritz, premier propriétaire, quand il servait les Nazis, me revient encore…

Après quelques secondes, le vieil homme continua :

— Au fil des années, je venais ici assez fréquemment. M. Fritz avait toujours des bonbons, même pendant la guerre. Nous croyions, naïvement, qu'il avait des affinités avec les Boches : après tout, il cuisinait des saucisses allemandes et il leur fournissait des bonbons à eux aussi. L'auberge était un endroit où nous pouvions prétendre que tout allait bien : M. Fritz avait des bonbons, les villageois entraient pour se rencontrer... et les Boches agaçaient tout le monde. C'était une routine qui procurait un certain sentiment de sécurité à une époque bien périlleuse. Cette auberge était un refuge.

Le bonhomme mâchouillait un cigare. Je pouvais difficilement l'imaginer en petit garçon. Il poursuivit :

— J'avais des frères et sœurs, et je n'étais pas le bébé de la famille. Pendant la troisième année de la guerre, mon frère Joshua naquit. Jamais je n'oublierai la froideur de cet hiver. Les Boches puisaient dans les ressources de la région et nous nous retrouvions avec moins de nourriture. Toutes les nuits, je me réveillais plusieurs fois à cause des pleurs de mon frère ou des gargouillis de mon estomac. Avec mes frères et sœurs, nous nous plaignions du fait que Joshua était le mieux nourri de la famille : il ne consommait que le lait de ma mère. Quand nous allions à la messe, je voulais communier comme les plus grands : je croyais qu'ils recevaient de la nourriture gratuitement. Je ne savais pas qu'il s'agissait plutôt de nourriture pour l'âme. Après quelques années de guerre, je m'étais habitué à la faim, sans toutefois la tolérer.

Malgré moi, je l'écoutais, tellement il nous prenait par son histoire.

— L'hiver de 1945 a été une longue et dure affaire. Après six années d'oppression, parmi les premières de ma vie, nous avions si faim et étions si pauvres que je ne me souvenais pas du sentiment d'être libre et bien nourri. Les rations étaient très strictes et c'est donc affamés et frigorifiés que nous attendions la fin de la guerre. Chaque jour, chaque semaine qui passait devenait de pire en pire, à cause de l'attente et de l'oppression qui se prolongeaient. Le 8 mai de cette année-là, on annonça la bonne nouvelle : la guerre était finie, une trêve avait été signée, les alliés arriveraient bientôt pour repousser les Boches et apporter de la nourriture et des ressources.

À ce moment de son récit, ses yeux firent le tour de la salle, comme pour voir au-delà de son auditoire.

— Les Canadiens arrivèrent le 19 mai. Les villageois coururent de leurs maisons pour les accueillir, réjouis, fous de bonheur. Quand la nourriture fut distribuée, nous chantâmes les louanges de ces chevaliers canadiens, les serviteurs de la liberté et de la paix, qui nous soulageaient de la cruauté des Nazis et de la faim. Nous fîmes connaissance avec ces jeunes hommes et femmes ; c'est ainsi que ma mère invita à souper un certain soldat qui lui avait distribué des rations de nourriture pour ses enfants affamés. Ce jeune soldat devint mon héros. Il avait dix-huit ans, il était grand et gentil. Il jouait avec moi et me traita comme un copain, pendant les semaines qu'il passa dans le village. Il me disait qu'il avait un frère de mon âge à qui je lui faisais penser. J'en étais si fier. Pour moi, il était un frère canadien, fort et tendre, qui sauva ma famille et tout le village. Quand il partit, il me donna la médaille qu'il portait sur lui en tout temps, pour que je ne l'oublie jamais : une feuille d'érable en bronze. Ce présent, je l'ai toujours sur moi.

Quand le vieillard finit son histoire, l'auberge était silencieuse, enchantée. Après un moment, ma mère lui demanda :

— Monsieur, vous souvenez-vous du nom de ce jeune soldat qui était votre ami ?

— Ah oui ! répondit le vieil homme. C'est inscrit sur la médaille.

Il sortit de sa poche la médaille de bronze en forme de feuille d'érable.

— William « Billy » MacCrae. C'est un nom qui m'est cher.

J'étais stupéfié. Billy MacCrae était mon grand-père maternel. J'ai regardé ma mère, puis mon père ; ils étaient aussi étonnés que moi.

— Monsieur, ce soldat, c'était mon père ! Billy MacCrae, c'était mon père ! Je savais qu'il avait participé à la libération de cette région, et je suis venue ici avec ma famille pour retracer ses pas...

Le vieillard ne put rien dire. Des larmes se formèrent dans ses yeux bleus. Lentement, il prit la main de ma mère, en fermant les yeux.

Moi aussi, j'étais ému. Mon grand-père était un héros. Mon grand-père, un Canadien, avait changé la vie de cet homme et de sa famille, leur laissant des souvenirs précieux. Il leur avait donné de la nourriture quand ils avaient faim, de l'espoir et de la joie quand ils étaient quasiment morts de découragement et d'oppression. Oui, il était un véritable héros. Il était Canadien, un des milliers de soldats venus sauver le peuple hollandais. Pour la première fois de ma vie, j'étais fier du côté canadien de mon identité, fier de cet héritage dont j'ignorais tout jusqu'à ce soir, fier d'être Canadien.

Riley McGuire
École secondaire publique L'Essor, Tecumseh

Riley habite actuellement à Maidstone, en Ontario. Anglophone de naissance, il a commencé ses études en français dans une école d'immersion. Il a ensuite choisi de continuer d'étudier dans cette langue au cours de ses études secondaires. Il a hâte de poursuivre des études universitaires, bien qu'il ne sache pas encore dans quel domaine.

Le retour au bercail

Le 7 novembre 2010

Chère tante Sisi,

Je t'écris pour la première fois depuis mon départ de la Jamaïque, il y a presque 50 ans. Pour tout t'avouer, je ne me rappelle pas la dernière fois que j'ai écrit une lettre à quelqu'un. Ici, à Toronto, les choses sont tellement différentes. Tout le monde est pressé, les gens ne prennent pas une seconde pour s'arrêter et humer une bouffée d'air frais. Parfois, je me demande ce qu'ils font toute la journée. Je ne comprends pas les Canadiens. Ils me semblent passer trop de temps à faire des choses qui n'ont aucune importance. Je crois qu'ils ne prennent pas leur vie à cœur comme nous.

Je m'ennuie tellement de la Jamaïque, de l'atmosphère de calme et de tranquillité, des visages accueillants et de l'odeur de la cuisine du Pélican. Mon mets préféré sera toujours l'aki et la morue. Je me souviens encore de son goût savoureux dans ma bouche. La plage, le sable chaud sous mes pieds, l'odeur salée de l'océan me manquent aussi. Je ne me suis jamais habituée à un style de vie rapide et trépidant. Je ne suis pas heureuse. J'ai essayé de m'y adapter et d'oublier quelque peu mes racines et mon passé, mais c'est impossible. Une partie de mon cœur est brisée. Je veux retourner à la maison. Je m'ennuie tous les jours de la Jamaïque. Si tu reçois ma lettre, envoie-moi du sable de la plage de Lighthouse Point.

Dans l'espoir d'avoir de tes nouvelles,

Millie

*   *   *

Le 11 décembre 2010

Millie s'est levée tôt ce dimanche matin. Il était 6 h 23, le soleil commençait à se lever par-dessus les arbres, à l'horizon. Louis dormait sous le duvet vert qui gardait le couple âgé bien au chaud pendant les longues nuits d'hiver. Millie s'est levée doucement et a marché jusqu'au salon, sur la pointe des pieds pour ne pas déranger son amoureux. Elle est restée un moment immobile devant le sofa, puis s'est lentement accroupie. Elle s'est étendue sur le tapis blanc et a sorti une boîte de sous le sofa. La boîte était très petite, faite de bois et datant d'au moins 50 ans. La petite boîte brune sentait encore la plage de la côte Ouest de la Jamaïque. Millie l'a délicatement ouverte, pour dévoiler tous les trésors de sa jeunesse. Assise dans le noir, Millie s'est évadée momentanément vers les souvenirs de son enfance qu'elle chérit tant.

*   *   *

Le 3 janvier 2011

Louis avait tout compris, et ce, depuis un bon moment. Il savait que Millie s'ennuyait de la Jamaïque. Il s'en ennuyait souvent aussi. Après leur retour de l'église, ce matin-là, Louis fit une surprise à Millie.

— Louis, pourquoi est-ce qu'il y a une enveloppe sur la table? Je suis allée à la boîte postale hier et il n'y avait aucune lettre...

— Pour l'amour de Dieu, ouvre l'enveloppe ma chère, insista Louis.

Millie prit l'enveloppe blanche doucement dans ses mains et en déchira le haut. Elle en retira le document et resta immobile pendant un moment, tandis qu'une expression d'émerveillement se dessinait sur son visage.

— Mais... qu'est... qu'est-ce... qu'est-ce que c'est? Je ne comprends pas, dit-elle, en état de choc.

— Ma belle, depuis quelques années, j'ai l'impression que la distance entre toi et la Jamaïque t'est devenue insupportable. Je t'offre ton rêve... Fais tes bagages, ton avion part demain matin. Mais là-bas, ne m'oublie pas; je t'aime et t'aimerai toujours, murmura tendrement Louis.

* * *

Le 4 janvier 2011

Je me sens belle pour la première fois depuis cinquante ans. Le vide dans mon cœur a disparu. Le casse-tête de ma vie est complété et je suis maintenant heureuse. À la minute où j'ai débarqué de l'avion, un agent de l'aéroport m'a apostrophée:

— Bienvenue chez vous! Avez-vous passé de belles vacances? demanda-t-il.

— Mes vacances? Seigneur! Elles ont été bien trop longues... Je suis heureuse d'être de retour, affirmai-je.

— Des vacances trop longues!? s'exclama l'homme.

— Cinquante ans. Peut-être cinquante ans de trop, répondis-je.

Pour une raison que j'ignore, l'homme semblait connaître mes racines, malgré le fait que je sois blanche comme du lait et que mon accent ait complètement disparu... Ici, tout est parfait. La nourriture est faite maison et la musique résonne à chaque coin de rue. En sortant de l'aéroport, je me suis immédiatement rendue au Pélican, au cas où Sisi serait encore là.

— Bonjour Madame, puis-je vous aider ? demanda une jolie jeune femme.

— Oui, est-ce que Sisi est encore la propriétaire du restaurant ? Elle est ma tante, répondis-je.

— Bien sûr, Madame Sisi est ma grand-mère. Prenez le temps de vous asseoir et de manger une bouchée et ensuite je vous conduirai à la maison, dit-t-elle.

— C'est formidable, merci mille fois. J'aimerais de l'aki et de la morue. C'est mon plat préféré, affirmai-je.

— Avec plaisir ! s'exclama la jeune fille.

Je n'ai jamais mangé comme ça de ma vie. Le poisson était si frais. Chaque bouchée fondait dans ma bouche. Je pouvais enfin me détendre et prendre une grande bouffée d'air frais. Après un merveilleux repas et une superbe soirée chez Sisi, je m'effondrai de sommeil...

* * *

Le 5 janvier 2011

— Monsieur, comment est-ce que je pourrais me rendre à Négril ? demandai-je à un chauffeur d'autobus.

— Je peux vous y emmener, je vais dans cette direction. Pourquoi voulez-vous aller à Négril ?

— Je retourne à la maison, murmurai-je.

Le voyage fut merveilleux. Nous sommes arrivés au bord de l'océan dans un silence complet. Quand j'étais jeune, il n'y avait aucune route qui se rendait à Négril et nous devions y aller à dos d'âne. Dans mon enfance, j'ai dû monter les escaliers du phare au moins mille fois, juste pour le plaisir de m'asseoir avec mon père dans la chambre de la lanterne. Ma mère avait toujours eu peur que je tombe du haut du phare. Comme je m'ennuie de ma mère… et de mon père…

– Bonne après-midi, Madame. Est-ce que je peux vous aider ? Vous semblez perdue, demanda le gardien du phare.

– Non Monsieur. Je ne suis pas perdue. Vous voyez, il y a 50 ans, ce phare était ma maison. J'ai grandi ici, déclarai-je.

– Bien. Je vous laisse tranquille. Si vous avez besoin de quelque chose, frappez à ma porte, affirma le vieil homme.

* * *

Le 8 janvier 2011

Pendant les trois derniers jours, j'ai traversé le pays. J'ai rencontré de nouveaux amis. Je n'ai ni ri ni souri autant depuis des lustres. Je réalise que la vie peut être tellement simple. L'amour se mélange au vent du Sud. La légèreté de l'air et le vent si doux accentuent de jour en jour l'amour que j'éprouve pour mon tendre époux et, bien que j'espère que mon voyage ne se terminera jamais, je m'ennuie de Louis et je pense à lui sans cesse… Je sais toutefois que je le reverrai dans quelques jours.

* * *

Le 10 février 2011

– Papa ! Comment va maman depuis son retour ? demande Rose.

— Encore plus mal qu'avant son départ. Je pensais que ce voyage allait l'aider, mais elle est plus triste que jamais. Elle ne parle plus à personne. Quand je lui demande si tout va bien, elle me répond que je ne pourrai jamais comprendre, pleure Louis.

— Peut-être a-t-elle raison… peut-être que nous ne comprendrons jamais. À moins que… Papa ! Pourquoi ne pas se rendre tous ensemble en Jamaïque ?

* * *

Le 22 avril 2011

Rose a tout planifié. Plusieurs membres de la famille Bell et Arscott ont pris l'avion tôt ce dimanche matin. Ils se sont rendus à un hôtel majestueux de Baie Runaway. Millie était de nouveau heureuse. Elle a emmené ses enfants et Louis visiter le phare de Négril, celui où elle habitait il y a si longtemps.

— Maman, c'est tellement beau ! Le paysage est magnifique, les mots ne suffisent pas à le décrire, s'exclama Rose.

— Je sais ma belle puce… C'est mon lieu favori dans le monde entier. Ce qui rend cet endroit encore plus précieux, c'est que je peux maintenant partager cette beauté avec vous, dit Millie avec joie.

* * *

Le 28 mai 2011

Chère tante Sisi,

Quand je suis venue te rendre visite le mois dernier, j'étais perdue. Je ne savais plus qui j'étais. Je pensais que pour être heureuse, je devais vivre en Jamaïque. Peut-être la vie s'avère-t-elle plus simple que je ne le pensais. La vérité, c'est que je dois écouter mon cœur. Et mon cœur se trouve avec ma famille et mon mari. J'avais peur de perdre toutes mes racines et d'oublier qui je suis. J'ai réalisé que je suis privilégiée. J'ai mis du temps à m'en rendre compte... J'ai la chance de connaître deux cultures différentes et je suis fière d'appeler la Jamaïque ainsi que le Canada ma maison. Je dois donc maintenant accepter le fait qu'il y a des jours où je m'ennuierai de la Jamaïque, mais je pourrai alors retourner vers ces souvenirs qui seront à jamais ancrés au fond de moi.

Au plaisir,

Millie

Natalie Brunelle
École secondaire catholique Nouvelle-Alliance, Barrie

Natalie a 16 ans et habite à Barrie, avec ses parents, son frère et sa sœur. Ses grands-parents viennent de la Jamaïque et l'histoire de sa grand-mère l'a inspirée dans la rédaction de son récit. Elle adore les activités en plein air, comme le ski et la course. Plus tard, elle espère étudier en psychologie à Western University, en Ontario.

Comprendre ses racines

I L EST 3 h 40, je suis en retard et tous mes gestes sont précipités. J'attrape ma brosse et me lave les dents trop vite, tellement vite que je me demande si ça en vaut la peine. Je n'ai pas le temps d'y penser, car j'ai un avion qui m'attend et je n'ai désormais plus beaucoup de temps devant moi. Mes parents insistent pour m'accompagner. J'accepte, même si je n'aime pas vraiment que les adieux se fassent à l'aéroport. On y arrive à 4 h 30, je laisse s'échapper un soupir de soulagement et m'apprête à dire au revoir à mes parents. Je ne suis pas une personne qui pleure en public, alors j'essaie de retenir mes larmes. À 5 h 30, c'est l'embarquement. Mon siège est placé entre le milieu et le fond de l'avion et je suis assise aux côtés d'une femme à qui je donnerais la quarantaine et qui m'a l'air plutôt sympa. À 6 h, l'avion décolle enfin. J'allume mon iPod, mets la musique au maximum et je ferme mes yeux, car je sais que le vol sera long.

Je m'appelle Sara, j'ai dix-huit ans et je viens de terminer ma dernière année de collège. J'ai accompli un de mes premiers devoirs : j'ai rendu mes parents fiers de moi. J'espère que cela ne s'arrêtera pas. Je suis née en Italie, à Trieste, où j'ai vécu pendant dix belles années avant de suivre mes parents en Suisse, à Genève. Ils ont fait tellement de sacrifices pour moi que je ne me suis même pas demandé si quitter l'Italie me dérangeait. Étant Afghans, ils ont dû fuir leur pays pendant la guerre et ont vécu dans plusieurs pays différents comme l'Inde, le Pakistan, ou encore l'Iran, pour enfin s'installer en Italie afin que j'aie une vie meilleure.

Mes parents m'ont inculqué les valeurs italiennes, mais aussi les valeurs afghanes avec lesquelles ils avaient grandi. J'avoue que je m'identifiais davantage aux valeurs et aux mœurs italiennes, puisque nous étions l'une des seules familles afghanes de la ville. En me regardant aujourd'hui dans le miroir, je me dis que mes parents m'ont élevée d'une des meilleures façons. Mais cela dit, j'ai l'impression d'ignorer toute une partie de mon identité, que j'aimerais connaître et explorer. Je voudrais pouvoir mieux comprendre mes parents, mieux saisir le chagrin de ma mère quand elle repense à son enfance, ou encore voir les yeux de mon père s'illuminer quand quelqu'un prononce le mot « Afghanistan ».

C'est pour toutes ces raisons-là qu'aujourd'hui, j'ai enfin décidé d'aller visiter le pays de mes ancêtres, d'aller découvrir une partie de leur identité autant qu'une partie de la mienne. Quand j'ai annoncé cette nouvelle à mes parents, ils ne savaient pas comment réagir. Mon père était en apparence très choqué de cette décision prise de ma propre initiative, mais il en était au fond ravi. Au contraire, ma mère avait peur, car depuis qu'elle avait quitté son pays, elle n'y était plus jamais retournée et elle craignait qu'il m'arrive quelque chose. Sa réaction ne m'a pas surprise. Dès que je sors avec des copines, ma mère craint toujours qu'il m'arrive le pire ; c'est sûrement l'instinct maternel. Malgré leurs sentiments mitigés, mes parents m'ont promis de me soutenir et de m'aider, comme dans tout ce que j'entreprends.

Premier jour en Afghanistan, à Kaboul. Je sais qu'à partir d'aujourd'hui, ma vie va changer. Le voyage a été long, mais je ne regrette rien en voyant où j'ai atterri. J'ai enfin l'occasion de faire la rencontre de vrais Afghans car, surtout pendant mon adolescence, j'ai entendu les gens parler d'eux à partir d'idées toutes faites. Pour plusieurs, les Afghans sont des terroristes, tout comme les Arabes sont des voleurs et les Noirs, des vauriens. Cela ne m'avait jamais vraiment atteinte.

À l'aéroport, je suis accueillie par un vieil homme tout gentil, assez petit, le dos courbé. Il s'appelle Hamid. C'est un ami de la famille et il m'a proposé d'être mon guide pendant mon séjour. Sans hésiter, j'ai accepté, je savais que j'allais beaucoup apprendre de lui. À notre sortie de l'aéroport, il m'a conduite dans le plus bel hôtel de Kaboul, fréquenté principalement par des gens d'affaires. Je me suis reposée toute la journée et le soir je suis allée manger au restaurant de l'hôtel. Je voulais faire un petit saut dans la piscine, mais je ne le pouvais pas, car il y avait cinq militaires autour de la piscine et j'hésitais à me promener en maillot. J'ai pensé à toutes ces Afghanes qui devaient sans cesse se soustraire au regard des hommes.

Le deuxième jour fut assez chargé. Je devais rendre visite aux frères et sœurs de ma mère et c'était la première fois que j'allais rencontrer mes petits cousins. Même si mon oncle était professeur à l'Université de Kaboul, il n'avait pas beaucoup d'argent et vivait dans une maison traditionnelle afghane, c'est-à-dire une maison sans table, sans chaise, sans lits... bref, j'étais vraiment très loin de mon quotidien bien confortable. Plus les jours passaient et plus j'apprenais sur ma culture, mes origines, mes parents. J'ai fait des rencontres magnifiques avec des personnes d'une grande sagesse, même si certaines n'avaient pu avoir accès à une bonne éducation pendant leur enfance. Grâce à ces personnes, j'ai appris beaucoup sur moi-même et sur ce qui m'entoure. Mon moment préféré a été celui où j'ai visité la maison de mon père. Dans la chambre de mes parents, j'ai pu lire une citation gravée sur la table de chevet. J'ai souri…

Je rentre chez moi avec tristesse, mais en même temps très heureuse d'avoir vécu ce beau séjour et de pouvoir partager tous mes souvenirs avec mes parents. Dès mon retour à Genève, ma mère m'a serrée fort dans ses bras pendant une bonne dizaine de minutes, en pleurant. Mon père aussi m'a serrée fort dans ses bras et nous a amenées, ma mère et moi, dans un petit restaurant calme, dans la France voisine. Mon père a dû comprendre que la nourriture européenne m'avait manqué. Autour d'un bon repas, j'ai commencé à raconter mon séjour et à montrer des photos. Mes parents étaient très émus par ce que je leur racontais et, pour la première fois, j'avais enfin l'impression de les comprendre, de déchiffrer ce que leur regard disait.

Le lendemain, je me lève et reprends mon train-train quotidien. Avec du recul, je me rends compte que ce voyage a été très bénéfique pour moi, surtout à mon âge. Aujourd'hui, quand je me regarde dans un miroir, je peux finalement me voir, me comprendre, et surtout comprendre cette fameuse phrase gravée, que mon père m'a répétée pendant toute mon enfance : « Si tu cours, tu iras plus vite, mais si tu marches, tu iras plus loin. » J'ai enfin compris que le monde appartient à ceux qui ont de la patience.

Madinà Shukoor
École secondaire catholique Saint-Charles-Garnier, Whitby

Madinà est née à Trieste (Italie) de parents afghans. Elle a étudié respectivement en Italie, en Suisse et présentement à l'école Saint-Charles-Garnier où elle termine ses études secondaires. Madinà a vécu jusqu'ici dans quatre pays, «quatre pour le prix d'un» comme diraient certains, mais l'expérience qu'elle en retire est on ne peut plus enrichissante et plurielle.

DÉRACINEMENTS
ET EXILS

Amah

J'AI HUIT ANS, je pèse 50 livres, mes cheveux sont noirs et ébouriffés. Je n'ai pas toutes mes dents et mon corps est plein de blessures et de cicatrices. On peut compter mes côtes. Mes vêtements sont trop petits pour moi et ils sont déchirés. Mes frères et sœurs jouent ensemble et ont du plaisir. Je veux jouer avec eux, mais je sais que nous ne sommes jamais en sécurité. Je souris parfois, mais pas souvent. Il n'y a pas de grande raison de sourire. Ce n'est pas facile de se retrouver parmi toute cette violence, tout ce chaos. Je m'appelle Jordan, je suis un enfant de la guerre.

* * *

Jordan choisit son chemin soigneusement à travers des débris pour se rendre à l'endroit où se trouve le corps de sa mère, coincé sous un gros bloc de l'édifice. Un cri désespéré sort des lèvres de l'enfant :

– *Amah! Amah!* Maman! Maman!

Il se rend vers sa mère et s'assoit près d'elle.

– *Amah, ana mareed.* Maman, je me sens malade, dit-il en se tenant le ventre.

La mère de Jordan le regarde et fond en larmes en voyant le chandail ensanglanté de son fils. Jordan est tombé quand un morceau de l'édifice l'a frappé. Elle voit qu'une larme coule sur sa joue. Avec un grognement douloureux, elle se laisse retomber, toujours coincée sous les débris. Elle est écrasée et paralysée de la taille aux pieds. Jordan la regarde souffrir, il pleure et il lui demande encore de se relever. La mère de Jordan essaie à nouveau de se redresser et pousse un long cri. Jordan se met à genoux près de sa mère et lui tend la main.

— *Amah ! Amah !*

— *La taqlaqi.* Ne t'inquiète pas, dit sa mère en le regardant dans les yeux.

Elle essaie de lui redonner espoir avec un petit sourire. Elle secoue la tête et se met à pleurer de plus en plus en serrant la main de son fils. Au loin, des coups de fusil et des cris en plusieurs langues forment un orchestre. Le sang de milliers d'innocents coule sur la pierre de la cour. La mère et l'enfant se tiennent encore par la main lorsque des voix étrangères se font entendre tout près d'eux.

— *You ! Over there !* Toi ! Là !

Un des hommes crie, alors qu'ils l'entendent se frayer un chemin jusqu'à eux. Jordan est tellement concentré sur sa mère que la voix de l'homme le fait sursauter.

— *Do you speak English ?* Parlez-vous anglais ? demande l'homme à l'enfant qui se retourne vers lui, confus et les yeux pleins de larmes.

L'homme essaie encore de lui adresser la parole, partageant son attention entre les deux visages en détresse.

— *Hal tatakallamu alloghah alenjleziah ?* Parlez-vous anglais ? leur demande-t-il en Arabe, avec un fort accent anglais.

La mère de Jordan lève la tête :

— *Qaleelan.* Un peu.

Jordan se blottit contre sa mère et regarde le soldat. Il est grand, il a les cheveux bruns et un teint pâle. Dans ses mains, il tient un gros fusil. « *We need help over here!* » On a besoin d'aide ici ! crie-t-il à la troupe qui s'avance.

En quelques instants, il y a sept autres hommes, comme le premier, tout autour de Jordan et de sa mère. Ils se parlent dans une langue inconnue de Jordan.

— *We need to get this rock off of her quickly if we want her to even stand a chance of survival.* Il faut vite enlever la roche si on veut qu'elle ait une chance de survivre, explique un des hommes.

— *Yes, and we need to get this boy out of here and to safety. He doesn't look injured.* Oui, il faut sortir ce garçon d'ici, il n'a pas l'air blessé, réplique un autre.

À ce moment-là, la mère pousse un cri, il y a un craquement et la roche se met à bouger. Jordan sent les mains d'un des hommes le soulever. Il hurle « *Amah!* ».

Les cris de sa mère deviennent de plus en plus faibles ; l'homme est en train de l'emmener loin d'elle. Le petit frappe le militaire plusieurs fois en lui donnant des coups désespérés sur la poitrine. Un cri perçant se fait alors entendre, suivi d'un coup de fusil. Puis le silence s'installe. Jordan peut voir les hommes autour de sa mère se disperser. En baissant les yeux, l'homme qui tient Jordan murmure : « *Let's get out of here.* » Partons d'ici.

*   *   *

Une détonation perce le silence de la nuit. Jordan, qui était en train de dormir, sursaute et se lève. C'est la troisième nuit depuis qu'il est séparé de sa mère. Une larme descend sur sa joue et il regarde au loin. Il aperçoit une série de lumières brillantes qui s'avancent vers le camp. Jordan crie et se tourne vers les autres jeunes avec lesquels il dort.

– *He-help! L-lights!* Au-au secours! L-Lumières! s'exclame-t-il en pointant dans la direction des phares.

Les autres enfants se lèvent à leur tour et commencent à crier eux aussi. Tout à coup, des hommes les entourent. Les cris des étrangers percent la nuit aussi brusquement que le coup de fusil de tantôt. Le bruit incessant de plusieurs moteurs s'ajoute aux cris des hommes. Le bruit des fusils accentue le désordre de la scène. Plusieurs enfants essaient de s'enfuir, mais se font rattraper par les voitures. Jordan est figé sur place, au milieu de l'attaque. Un homme s'avance vers lui pour le prendre. D'un mouvement rapide, le jeune tombe parmi les corps tremblants des autres enfants. Tout devient noir.

* * *

Une lumière brillante réveille Jordan. Il lève la main pour bloquer le soleil. Les voix de plusieurs hommes l'entourent. Il ouvre les yeux : il est au milieu d'un camp. Un gros tas de fusils repose près de lui. Il regarde autour de lui : les autres enfants sont là. Ils ont l'air aussi confus que lui. Un homme s'avance vers les enfants et les salue :

– *Salam!* Bonjour!

Il se tient devant eux et se présente. Il est musulman, lui aussi. Il explique aux enfants qu'ils deviendront des soldats. Il crie et un autre homme apparaît, ramassant plusieurs fusils et les distribuant aux enfants.

– *This will become your best friend, I assure you.* Ceci deviendra votre meilleur ami, je vous l'assure.

* * *

44

Un jeune crie « *Yalla !* » Vite ! Des coups de fusils suivent ses paroles.

Jordan regarde autour de lui : il y a un adolescent à côté qui saigne de l'épaule. Jordan s'avance et tire un coup de fusil à son tour. Plus loin, il y a un homme par terre. Du sang coule autour de lui et est absorbé par le sable.

– *Saa'idni.* Aidez-moi, supplie-t-il.

Jordan lui jette un regard morbide et lève son fusil. Il appuie sur la gâchette. Le crâne de l'homme éclate et du sang coule de sa nouvelle blessure, mortelle. Jordan sourit. Un autre coup perce le silence. L'enfant pousse un cri aigu au moment où une balle s'enfonce dans son épaule gauche.

* * *

Je sursaute, mon corps est couvert d'une sueur froide. Ma poitrine se soulève à chaque respiration et c'est comme si chacune allait être ma dernière. Je porte une main à mon épaule. Ma blessure a disparu. Les couvertures de mon lit sont en fouillis à mes pieds. Je regarde par la fenêtre de ma chambre. La neige tombe comme une couverture innocente et pure sur les collines de ces régions qui m'appartiennent maintenant. L'air salé de l'océan Atlantique flotte vers mes narines. Deux ans se sont écoulés depuis que j'ai quitté mon pays d'origine. Je parle français maintenant, je vais à l'école au Canada et me suis fait des amis. Je change peu à peu avec le temps, mais les terreurs de la nuit me poursuivent toujours. Je ferme les yeux et essaie de penser à autre chose. Une seule larme tombe sur mon visage. « *Amah* » Maman.

Ce n'est pas facile, toute cette violence, tout ce chaos, toutes ces horreurs qui te suivent partout. Je m'appelle Jordan... et je serai toujours un enfant de la guerre.

Rihannon McLeod
École secondaire catholique de La Vérendrye, Thunder Bay

Rhiannon McLeod est en 11ᵉ année, elle fréquente l'École secondaire catholique de La Vérendrye. Elle adore les arts et aime beaucoup écrire en français et en anglais. Élève très impliquée, toujours prête à parler et à rencontrer de nouvelles personnes, elle veut s'orienter vers le domaine des arts culinaires quand elle terminera son secondaire.

L'aventure d'une solitaire

S URPRISE! L'AMBIANCE est à la fête, père et mère portent l'habit de célébration traditionnel de l'Inde. Chaque année depuis mes six ans, mes parents enfilent ainsi leurs accoutrements de cérémonie pour m'amuser et pour se remémorer les légendes et les coutumes de notre pays natal. J'ai dix-huit ans maintenant et j'emménage seule au Canada.

Mère me serre dans ses bras et père se tient au pas de la porte de l'appartement qu'ils viennent de m'offrir. De sa posture émane la confiance qu'il me voue, son regard est rempli d'espoir et son sourire me rassure tout autant. Inutile de dire combien l'idée de les voir repartir à l'aéroport demain me rend nerveuse ; mes mains sont moites et elles tremblent depuis notre arrivée. Sans doute le fait de m'installer m'apeure puisque, depuis toujours, nous ne sommes jamais restés plus de six ou sept mois dans un même endroit.

Mes parents se sont rencontrés lors d'un des nombreux voyages qu'ils entreprenaient chacun de leur côté. Ayant tous deux le goût du voyage dans la peau et venant de familles aisées, ils saisissaient toutes les occasions qui se présentaient à eux et se mirent à vivre une vie d'aventures. L'argent n'étant pas un problème pour eux, à 24 ans seulement, le monde entier leur semblait être un plateau de jeu qu'il leur tardait de découvrir. Ce n'est qu'un an après que le destin les eut placés dans les bras l'un de l'autre, que leur aventure la plus prometteuse s'amorça : moi.

C'est ainsi qu'à six ans, j'avais déjà visité plus de pays que mes petites mains ne pouvaient en compter. Ce genre d'éducation aurait pu ne pas m'être très favorable. Pourtant, grâce à ce que j'apprenais ici et là, j'en savais probablement plus que la moyenne des enfants de mon âge. À dix ans, je connaissais quatre langues et comprenais le fonctionnement de divers procédés naturels. Ma mère me faisant l'école à la maison, j'ai aussi appris la base de ce qu'on enseigne dans la plupart des écoles. En bref, mon éducation n'a jamais été négligée au cours des aventures qu'on a vécues jusqu'à maintenant. D'ailleurs, je viens m'installer au Canada pour entreprendre des études en médecine et me joindre plus tard à Médecins sans frontières. L'aventure coule dans mes veines depuis bien longtemps !

Le déménagement terminé, nous voilà devant une tasse de café à discuter de ce que ce nouvel épisode m'apportera comme émotions. Mon cœur panique tandis que ma tête s'obstine à me rassurer. Mère me raconte encore une fois comment elle était excitée à l'idée d'aller à l'université en Angleterre. Père me lance un regard inquiet, il sait que je suis perdue dans mes pensées et que je suis quelque peu confuse.

— Sophia, est-ce que tu es certaine que c'est ce que tu veux ?

J'aimerais bien lui dire que tout est clair dans ma tête, mais il réussirait, comme toujours, à voir le malaise en moi. J'opte pour une réponse plus plaisante, dans le style d'humour qu'il aime bien entendre.

— Je suis un peu distraite, vous m'excuserez, mais je dois me faire à l'idée que je laisse mes parents partir seuls dans le monde, à la merci de n'importe quel traître malhonnête !

— Toujours aussi comique ma belle Sophia, me dit mère, tu sais bien que c'est nous qui devrions nous inquiéter de ta nouvelle vie de solitaire.

Le sourire en coin de père montre qu'il a compris, encore une fois. Il me prend la main tout doucement et me sourit, comme s'il savait que je pourrai me débrouiller, peu importe ce que la vie m'offre comme défi. Sa confiance en moi est inébranlable, quelles que soient les décisions qu'il me faut prendre. Cela me rassure, pour une énième fois. Ma conscience s'apaise peu à peu et je retrouve la motivation d'entreprendre cette aventure par moi-même. N'est-ce pas ce que j'ai demandé à mes parents ces trois dernières années, chaque fois que l'occasion s'en présentait ?

— Mais Sophia, dis-moi, est-ce que ton père t'a raconté comment il s'était débrouillé durant sa première année d'études ?

Mère aime bien raconter des événements de leurs vies antérieures quand elle est inquiète. C'est sa façon à elle de nous changer les idées, elle non plus n'étant pas très fanatique des adieux émotifs. Énergique comme quatre soleils, elle peut, à elle seule, rehausser une conversation devenue trop ennuyeuse. J'imagine souvent que ma mère s'est sortie d'embûches incroyables grâce à ses belles paroles. Finalement, quand on dit que les contraires s'attirent, ce n'est pas tout à fait faux, c'est exactement le cas de mes chers parents, une mère loquace et un père pondéré.

Une fois toutes les histoires remémorées et nos tasses de café vidées, nous partons chacun dans nos chambres pour reprendre un peu sommeil. J'ai peine à fermer l'œil ; je redoute très fortement notre réveil, malgré moi. Il faut dire que les trois cafés bus un peu plus tôt n'aident pas du tout à trouver un sommeil réparateur, ils me portent plutôt à réfléchir. Quand j'étais plus jeune, pour m'endormir, père me chantait une berceuse et mère me préparait une rôtie et un lait chaud. J'aimerais bien retrouver cette époque, simplement pour ne pas avoir à prendre de décisions difficiles et pouvoir profiter de l'affection que mes parents me donnaient hardiment chaque jour. C'est la tête dans les souvenirs que je réussis à trouver le repos et finalement à m'assoupir.

Je me réveille en sueur. Une douce odeur de cannelle et de sucre flotte dans l'air ; des frittellas à l'italienne, une spécialité de père. Ils sont tous les deux dans la cuisine, fidèles à leurs postes de chefs culinaires. Mère prépare un thé sucré pour accompagner les crêpes et met la table comme nous le faisons d'habitude.

— Qu'il est bon d'avoir ses propres chefs ! dis-je sur un ton moqueur.

— Tu sauras, jeune fille, que dans la vie il faut savoir apprécier les petits plaisirs tant qu'on peut les avoir ! me répond père en me servant la première crêpe.

Le déjeuner, le taxi, l'aéroport et nous voilà les uns dans les bras des autres à se dire nos derniers au revoir. Tout se passe très rapidement et je suis encore à me demander pourquoi j'ai choisi le Canada pour y faire mes études. J'assiste en silence au départ de leur avion. J'imagine par contre que ma mère discute déjà de la terre et du ciel. Cette pensée me fait sourire, malgré les quelques larmes qui coulent le long de mes joues. Je quitte l'aéroport seule, en me répétant que je vais réussir, ce qui a habituellement l'effet désiré. « Ça y est, c'est à toi de jouer maintenant, Sophia. Tu es la championne, tu les rendras fiers de toi ! C'est à ton... »

— *Excuse me...* ? Je pourrais vous demander de l'aide pour trouver mon chemin ?

Un jeune homme au début de la vingtaine, les yeux gris vert, la peau basanée, le sourire charmeur, s'avance vers moi. Il semble égaré et son accent me dit qu'il ne vient pas d'ici. Est-ce qu'il s'adresse vraiment à moi ?

— *Sorry*, c'est que... *You know*, je t'ai vue pleurer tout à l'heure, *and... I thought maybe I could be a friend and*, tu pourrais m'aider à retrouver mon chemin un peu ? *It's okay if you don't want to.* Désolé encore !

Il retourne sur ses pas, il repart visiblement mal à l'aise. Moi, confuse devant cette apparition subite, je le laisse filer. Pourquoi ?

— *Wait !* Peut-être que je ne peux pas t'aider, mais j'ai certainement besoin d'un ami !

Geneviève St-Arnaud
École secondaire catholique de Hearst

Geneviève a déjà visité quelques pays. Continuer de voyager est l'un de ses plus grands rêves. Depuis son plus jeune âge, elle a toujours aimé la lecture. Elle est également musicienne à ses heures. Elle attend avec impatience de commencer ses études postsecondaires, qui lui permettront un jour d'être médecin pour les femmes.

Le chemin de la gloire

L E CADRAN AFFICHAIT 1 h 20 dans ma vétuste Chevrolet Ventura 2003 gris-bleu. L'angoisse me rongeait alors que je patientais dans la file, au poste-comptoir douanier liant Blackpool et Champlain. Mon cœur battait la chamade, la sueur ruisselait sous mes aisselles et perlait sur mon front. Le douanier, pas particulièrement bonasse, m'interpella, me sortant ainsi de ma léthargie. Après m'avoir imposé une interminable attente, scrutant mon passeport, il s'en tint à la procédure d'usage. « Pourvu qu'il ne décèle rien d'anormal dans mon comportement… », me dis-je, anxieux. Dans un français des plus approximatifs, il s'adressa finalement à moi.

Je n'avais pas toujours été du genre à m'immiscer au cœur d'histoires nébuleuses. J'y étais contraint, en quelque sorte. Mais pour mieux assimiler le tout, retournons, si vous le voulez bien, dans les annales de mon passé.

* * *

Je vis le jour le 8 octobre 1993 à Matimekosh-Lac-John, l'épicentre d'une réserve innue aux abords de Terre-Neuve, dans un désert de poudreuse, où l'hiver impose sa loi à l'été.

J'ai toujours vécu dans de vastes étendues très peu peuplées. Mes parents me nommèrent Nahu, « Qui vient de loin » en innu. Ils étaient vraiment imprégnés de la culture montagnaise, mon père étant chef de réserve.

Lorsque j'acquis l'âge de raison, j'eus une discussion virile avec mon père. Il me transmit son désir de me léguer ses fonctions à son dernier souffle. Dès lors, je remis tous mes acquis en question : voulais-je consacrer ma vie à ce minuscule patelin moribond ? Désirais-je à ce point m'y confiner jusqu'à mon lit de mort ? Non.

Résolument, j'entrepris d'échafauder un plan dont le point culminant serait l'exil. Je décrochai un emploi chez Rita, l'un des rares casse-croûtes de la région. Motivé plus que jamais à l'aube de mes seize ans, je me fixai un dessein ultime : poursuivre ma formation académique à la prestigieuse université McGill, dans le domaine du droit. J'en fis mention dans le « manifeste de la gloire », que je rédigeai à cet effet. Ce projet, qui animait constamment mes pensées, devait rester sous le couvert de l'anonymat. Une personne de confiance, dont l'allégeance m'était acquise, m'aida dans ma quête ambitieuse : ma sœur Lucy. Elle m'aida à faire la part des choses et à rester centré sur mon but.

Alors que le temps me séparant du jour J s'envolait, une certaine tristesse m'envahissait à la pensée des proches que je laisserais derrière. Plus que tout, j'appréhendais de ne pouvoir saluer mes parents avant le départ. C'était le prix à payer. Le prix de la liberté, de la gloire.

Vint le jour tant attendu. Je me levai à l'aube, embrassai ma sœur sur le front et me rendis à la gare la plus proche. J'y retrouvai Mike, un ami de jeunesse qui travaillait pour la compagnie ferroviaire Tshiuetin. Après de brèves salutations, mon complice me fit monter clandestinement à bord du train à destination de Sept-Îles. À partir de là, je renaîtrais.

Le 23 août 2010

Salut Lucy,

Au moment où tu liras cette lettre, j'aurai atteint la liberté. Montréal, c'est grandiose! Comme si le monde gravitait autour de cette ville. Les gens sont chaleureux, distingués, tout ce que j'aurais pu espérer. Tout est à ma portée.

C'est ainsi que je fis mon entrée dans la région métropolitaine. Quel choc! Passer d'une population de quelques centaines de personnes à une ville de quelques millions d'habitants, ça me faisait l'effet d'une bombe! Je me fis violence, évitant d'aller déambuler du côté de McGill et des grands commerces. Mes menues économies combleraient mes besoins primaires: me nourrir et me loger.

Le 2 septembre 2010

Chère Lucy,

Aujourd'hui, c'est la rentrée à McGill. J'ai fait mon entrée dans l'enceinte de sa faculté de droit, somptueuse, majestueuse. Les premières classes se sont enchaînées à un rythme effarant. Suis-je finalement à ma place? Chose certaine, j'aurai à m'affairer sans relâche, consacrant à mes études un inlassable labeur.

À la sortie des cours, mon regard croisa une créature intrigante, exotique. J'avais sous-estimé cet aspect de la métropole! Je me décidai finalement à l'aborder:

— Salut, comment te nommes-tu?

— Moi, c'est Sarah. T'es pas d'la place toi, hein?

– Si tu savais... Je m'appelle Nahu, je viens du Grand Nord.

– Alors Nahu, tu viens au party chez Steve ce soir ?

– Euh... ouais, à plus tard.

Je n'aurais jamais dû y mettre les pieds. J'arrivai chez Steve vers 22 h. Espérant faire des connaissances, j'y découvrais une résidence surpeuplée, habitée par une pléiade d'étudiants en quête de sensations fortes. On m'offrit à boire, encore et encore, si bien que je m'affalai sur un canapé trop confortable...

Je me réveillai à 4 h, aux prises avec des douleurs aiguës au crâne. Je sentais mon pouls tambouriner sur mes tempes. Je me hâtai de quitter ces lieux qui semblaient m'être apparus en songe. J'aurais sollicité un taxi si j'avais eu un peu de monnaie dans mon portefeuille...

Le 3 septembre 2010

Lucy,

Je ne sais plus quoi penser, ni comment agir. La totalité de mes économies s'est envolée tout d'un coup. Cela s'est déroulé si promptement... J'ai dû me faire subtiliser mon portefeuille au party, alors que j'étais dans les vapes. Qui aurait manigancé une telle ignominie ? Sarah ? Il y avait tant de monde...

C'est ainsi que le mois suivant fut pour le moins pénible. Je devais lutter pour ma survie. Un camarade eut la bonté de m'offrir l'asile, mais cela ne m'apporta point de pain sur la table. Constatant ma situation financière précaire, il me référa à un cousin, qui m'offrit cinq mille dollars pour assurer la livraison d'un paquet à Plattsburgh, aux États-Unis. La condition ? Ne pas poser de questions. Cela me sembla louche, mais l'appât du gain eut préséance sur ma raison. De plus, on m'offrait une fourgonnette pour assurer mes allées et venues !

C'est ainsi que j'effectuai quelques périples de l'autre côté de la frontière, jusqu'à ce jour fatidique...

* * *

Le douanier entama son interrogatoire. Nom, âge, lieu de naissance, tout se déroula comme sur des roulettes. C'est alors qu'il s'enquit de ce que je transportais dans mon fourgon... Serais-je démasqué ? Mais encore, que contenait cette cargaison dont j'étais l'intermédiaire ? J'étais sur le point de le découvrir, le douanier s'approchant dangereusement de l'arrière de ma Ventura...

On dépêcha toute une escouade de flics qui m'arrêtèrent pour possession d'armes illégales. Il y en avait de toutes les tailles, de toutes les formes. Pourtant, je ne pouvais en identifier aucune. J'étais cuit.

Un long procès s'ensuivit, où j'évoquai plus d'une fois mon ignorance à qui voulait bien m'entendre... Peu importe, ma condamnation était inévitable. J'écopai de quinze ans de pénitencier. On me dépouilla de mes effets personnels, de mes vêtements. Une larme déferla sur ma joue à la vue de mon « manifeste de la gloire ». Mon chemin bifurquait vers le gouffre...

Le 7 mai 2025

Salut Lucy,

D'entrée de jeu, j'aimerais te féliciter pour ta nomination d'enseignante. J'espère que tu t'épanouiras à Sept-Îles, et que ton ouverture sur le monde sera un processus moins laborieux que le mien. Pour ma part, j'ai fait la paix avec notre peuple, en concluant que ce coin de pays, c'est aussi le mien. Je dois dire que, si les habitants me pardonnent un jour mes erreurs, ce sera avec grande fébrilité que j'accepterai la chefferie de notre réserve, succédant de fait même à papa. J'ai atteint la terre promise, mais pas encore la gloire...

Philippe Marceau-Loranger
École secondaire publique Gisèle-Lalonde, Cumberland

Lauréat du concours « Mordus des mots », Philippe Marceau-Loranger n'en est point à son premier fait d'armes. Son tableau de chasse comprend notamment deux Oscars, un prix Nobel et un Olivier. Il était d'ailleurs affairé à soulever la coupe Stanley lorsque son réveille-matin l'extirpa de son agréable songe...

Identité sur papier

S I SEULEMENT on écoutait, ne serait-ce que pour un instant, les coups de feu résonnant dans les campagnes
d'Angleterre, on sentirait l'écho froid, distant et morbide de
la fuite de la bête de combat, grondant sous la force et la
monstruosité des affrontements. Une douce brise frôle l'âme,
tel un éclat de verre, et fait trembler tous les mortels. Elle
transporte les sons d'atrocités lugubres et le timbre étouffé
de corps en chute. Le ciel grisâtre devient un plafond inat-
teignable, rendant claustrophobes même les arbres les plus
tenaces. La nation entière est en panne, gelée dans un état
de latente tristesse, soignant quotidiennement les blessures
dont les pansements ne cessent de tomber.

Une douce enfant vacille sur sa balançoire de bois. Le
sourire innocent n'existe plus, elle tousse. Elle sait tout,
comprend tout. Le berceau de nuages ne retient plus l'oppression, la destruction insensée de l'humanité. Il éclate
d'un coup, laissant s'échapper des pleurs sucrés. De fugaces
gouttes de pluie baisent un visage fermé, un visage dur, celui
de la jeune enfant. Elle se pose des questions, beaucoup trop
de questions pour une gamine. Qui est-elle ? D'où vient-
elle ? À neuf ans, elle connaît déjà les réalités de son origine
sur papier. Mais tous les actes de naissance au monde ne

peuvent pas témoigner de l'appartenance, de l'identité… Les lisses cheveux blonds encadrent son visage d'ange, tordu par la souffrance. Les boucles d'or se balancent dans la brise. Et les bombardements semblent vouloir se perpétuer à jamais.

*   *   *

1939. À l'aube du déclenchement de la Deuxième Guerre mondiale, un corps élancé s'approche tranquillement de la petite fille. Il a les mêmes cheveux blonds.

— Elsa, il est temps de rentrer, le souper est prêt.

— Oui maman, répond la fillette.

Elle se retire de ses pensées et entre dans la maison, laissant osciller la balançoire sous le ciel cendré.

Assise à la table, Elsa appuie sa tête dans sa main gauche. L'autre main pile abstraitement les pommes de terre fades à l'aide d'une fourchette qui fait beaucoup trop de bruit. Le tintement du métal sur la porcelaine est le seul son qui se fasse entendre dans la maison vide.

— Papa est occupé par son nouveau travail, il ne rentrera pas pour souper.

— D'accord.

— Comment a été ta journée à l'école ?

— Bien, répond-elle vaguement.

Mais elle sait très bien que ce n'est pas la vérité. Tous les jours, l'enseignante leur répète que les Allemands sont de sales hypocrites contre qui il faut lutter. Elle a même accroché une jolie affiche au fond de la classe : un portrait d'Hitler, les pantalons baissés, une affiche de propagande du gouvernement qui tente de criminaliser tous les Allemands. Assise au fond de la classe, Elsa tente de se fondre dans le décor. Mais elle sent lentement tous les yeux se braquer subtilement sur elle. Tous ses camarades le savent : Elsa n'est pas une véritable Anglaise. Et ils ne le lui laissent jamais l'oublier. Dès les premières semaines suivant son déménagement, avant même l'éruption de la guerre, les enfants savaient déjà qu'elle était différente des autres. La jeune fille a un accent révélateur. En chantant le *God Save The King*, tous ont remarqué ses erreurs et ses oublis. Depuis la guerre, les récréations sont pénibles ; elle reste seule dans son coin. Personne ne veut d'elle... une Allemande... elle doit être aussi affreuse que le Führer lui-même.

Après le souper, Elsa se précipite dans sa chambre. Elle sort rapidement son acte de naissance et passe de longues secondes à le contempler : Elsa Schmidt, Munich, Allemagne. Mais peut-elle vraiment se reconnaître devant cette identité qu'on lui impose ? Une identité que tous ses camarades et ses enseignants condamnent ? Non, c'est impossible, elle doit tout nier. Elle s'approche du drapeau allemand qui pend aux côtés de son lit, celui qui a toujours représenté celle qu'elle est vraiment. Mais les choses changent et Elsa se promet d'oublier son passé allemand, de devenir Anglaise, corps et âme. D'un vif coup de ciseau, elle déchire le drapeau.

* * *

1945. La fin de la Deuxième Guerre mondiale arrive. Une jolie jeune fille aux cheveux blonds se balance dans les campagnes d'Angleterre. Son accent britannique impeccable ne laisse aucune trace de son passé tumultueux, du déménagement de sa famille allemande en sol britannique. Mais Elsa Schmidt se souvient toujours de la journée où elle en a eu assez d'être la petite Allemande, la risée de sa classe. Depuis ce jour, elle n'a pas prononcé un mot d'allemand, elle a tout fait pour perdre son accent révélateur. Le *God Save*

The King, elle l'a appris de toutes les façons. Elle a dissimulé entièrement son passé. Elsa a maintenant 15 ans.

* * *

Quelques heures auparavant, Elsa s'est entretenue en tête à tête avec son passé, une chute tourbillonnante dans sa crise identitaire d'autrefois. Sa grand-mère, demeurée en Allemagne tout au long de la guerre, a obtenu son visa et est arrivée pour une brève visite. Elsa, qui se balance dans la cour arrière, tout comme elle le faisait à 9 ans, n'a pas entendu arriver son aïeule. Ou peut-être ne voulait-elle pas l'entendre, après tant d'années à tenter d'oublier son appartenance au pays. Quand elle décide enfin de rentrer dans la maison, elle s'assure de passer par la porte d'en arrière, pour éviter les possibles questionnements. Sans un bruit, elle se dirige vers sa chambre. Elle ouvre la porte pour découvrir une vieille dame, sa grand-mère, accroupie aux côtés de son lit. Entre ses mains, elle tient le drapeau allemand, lacéré, celui qu'Elsa avait déchiré à l'âge de 9 ans. Il était demeuré dans une pile de vieilleries depuis 1939.

— Oma ? demande Elsa, se rappelant à peine le surnom qu'elle donnait auparavant à sa grand-mère.

La vieille dame lève les yeux. Ses pupilles azur baignent dans des larmes amères. Les larmes reluisent sur les rides qui recouvrent son visage.

— Pourquoi, Elsa ?

Elle aide la vieille dame à se redresser et l'installe sur son lit.

— Je me suis perdue, Grand-mère.

— Je sais très bien qu'on vous a appris à l'école à détester les Allemands. Ta mère m'a bien expliqué que tu ne voulais plus de nous.

D'une lenteur qui trahit son âge, la vieille dame retrousse la manche de son cardigan, dévoilant un tatouage noir. Elsa est surprise de constater ce matricule ; combien de fois les journaux ont-ils publicisé les atrocités des camps de concentration à l'aide de tels tatouages en gros plan ? Trop de fois.

— Ils m'ont emmenée, tu sais, dans un camp. Mes papiers indiquaient que j'avais des ancêtres juifs. J'ai été internée. Si tu savais ce que j'ai vu. Des scènes impardonnables, continue-t-elle.

— Tu vois, Grand-mère, tu vois pourquoi j'ai renié mon passé. Tout le monde avait raison, les Allemands sont cruels.

— Viens avec moi, j'ai bien des choses à t'expliquer, Elsa.

Elle prend l'adolescente par la main et l'emmène à l'extérieur.

— Chacun se pose des questions à différents moments de sa vie. Le questionnement est une partie intégrante du développement de chacun. Prise dans un camp de concentration pendant deux mois, j'ai eu beaucoup de temps pour réfléchir. J'ai réalisé que les barbaries des dernières années ne pouvaient me détourner de mon appartenance à mon peuple. Après tout, ce n'est pas au peuple allemand que revient la faute. Mais tu es jeune et je ne pourrais te blâmer de vouloir encore renier ton passé. L'identité ne se dicte pas, elle se construit. Un simple morceau de papier ne peut pas déclarer qui tu es. Si tu te sens véritablement Anglaise, c'est ton choix, mais je te le dis, il ne faut pas oublier d'où tu viens.

La jeune fille observe l'horizon. Le ciel grisâtre qui pesait sur l'humanité il y a si longtemps a disparu. Elle ne se sent plus sous pression. Surtout, elle trouve son aïeule incroyable, elle qui arrive à être fière de sa patrie, même après les inhumanités dont elle a été témoin et victime.

— Grand-mère, je ne peux pas m'identifier à un pays dont j'ai tenté de me dissocier pendant si longtemps. Mais je ne peux pas non plus me dire Anglaise. Qui dit qu'il faut une nationalité pour se donner une identité ?

– Un acte de naissance n'est qu'un banal morceau de papier. Pour trouver qui tu es, il suffit de penser... à tes valeurs, à ta famille... à la personne que tu es vraiment.

Elsa pense pendant de longs instants.

– Je suis Elsa Schmidt... et je suis encore trop jeune pour confirmer qui je suis véritablement. Qui suis-je ? Je suis heureuse.

– Une réponse de diplomate, réplique la grand-mère.

Leurs yeux bleus comme la mer se rencontrent et Elsa enlace sa grand-mère. Des oiseaux laissent échapper des doux bruits, formant une symphonie naturelle, un contraste avec les bruits sinistres du début de la guerre. Le ciel, devenu rose saumon, est entrecoupé de filaments de lumière beige, représentant une nouvelle vie, une postapocalypse. La guerre est finie.

Sara Sturgeon
École secondaire catholique Marie-Rivier, Kingston

Pour Sara, l'écriture n'est qu'une passion parmi d'autres. Fervente amatrice de théâtre, de patinage de vitesse et de chant, elle multiplie les intérêts de manière exponentielle. Elle étudiera prochainement à Queen's University, dans le but de mener une double vie : enseignante le jour, vedette de comédies musicales le soir.

Martini rose et faux diamants

N ASSOUMI PORTAIT une robe courte, ajustée. La gent masculine ne pouvait rester indifférente à sa taille fine et à ses formes invitantes. Du haut de ses grands escarpins noirs, de ses yeux charbonneux, elle observait ce monde nouveau qui s'ouvrait à elle. Appuyée au bar, elle vivait le début d'un rêve longuement convoité.

Jupe de cuir, lèvres teintées de rouge, perles et diamants à l'encolure et aux poignets, elle était bien en Amérique. Grâce à sa cousine, elle aussi correspondait maintenant au modèle de la jeune femme américaine. La musique l'envahissait, sans toutefois qu'elle y porte attention, car il y avait tant à voir. Autour d'elle, les gens s'amusaient, le satin dansait sur le corps des femmes, les billets de banque s'envolaient des portefeuilles des hommes. Puis, son œil croisa celui d'un individu situé non loin d'elle, de l'autre côté du comptoir. Elle se sentit rougir : c'était la première fois qu'un homme posait un tel regard sur elle. Comment devait-elle agir ? Gênée, elle baissa les yeux. C'était un réflexe, chez elle.

— Pour vous mademoiselle, de la part de ce jeune homme, lui dit le barman, tout en déposant un cocktail au liquide rosé devant elle.

Elle leva la tête et observa cet être à la charpente musclée se fondre dans l'obscurité. Elle porta le verre à ses lèvres et se perdit dans ses pensées. Cela faisait déjà cinq jours qu'elle avait emménagé dans l'appartement de sa cousine. Bien sûr, ses parents ne se doutaient pas qu'elle se trouvait à l'instant dans une des plus grosses boîtes de nuit de New York. Elle se questionnait même à savoir s'ils avaient déjà mis les pieds en Amérique! Que savaient-ils de ce bout du monde, mis à part le fait qu'on y retrouvait d'excellentes institutions universitaires? Ils n'avaient sans doute pas la moindre idée de ce qu'était une boîte de nuit. Elle aurait probablement été bannie de la famille s'ils l'avaient su ici. Pour des Nigériens honorables, cet acte aurait constitué un grave déshonneur!

De fait, elle s'était sentie libérée dès qu'elle avait pris place dans l'avion. La dictature de son père l'étouffait. À Niamey, sa ville natale, le désir et l'amour étaient fortement réprimés. Jamais, au grand jamais, n'osait-on oser regarder un homme dans les yeux et encore moins le toucher! Oh! Maintes fois, elle a pensé au jour où un homme lui démontrerait de l'affection. Le soir, elle se glissait sous les couvertures et en rêvait secrètement. Elle s'imaginait au bras de son mari. Elle éprouvait un désir profond de trouver l'amour. Maintenant en Amérique, elle appréhendait avec fébrilité le moment où elle rencontrerait l'âme sœur.

Puis elle sentit une main se poser sur son épaule. Elle sursauta. Ce ne pouvait pas être sa cousine, le contact était trop insistant, sans être intime. D'ailleurs, où était Jwan? Il y a quelque temps déjà qu'elles s'étaient perdues de vue... C'était l'homme qui lui avait offert un verre. Il lui sourit; son regard charmeur la séduisit instantanément.

– Chris, mon nom est Chris. Enchanté de faire votre connaissance, très chère.

Ces paroles installèrent des petites lueurs dans les yeux de Nassoumi. Il l'invita à se jucher sur le tabouret en cuir à côté du sien. Il se rapprocha d'elle, car la musique noyait ses paroles. Chris engagea la conversation. Elle le dévorait des yeux, il l'envoûtait.

Depuis l'arrivée de cet Adonis, Nassoumi avait perdu la notion du temps. L'alcool s'accumulait dans son système. Chris semblait un gentleman, il lui offrait sans cesse de nouvelles consommations. Autour d'elle, les choses s'embrouillaient. Sa tête tournait un peu, mais elle appréciait cette sensation nouvelle. La musique dansait en elle. Elle se surprit même à se déhancher légèrement. Elle avait de plus en plus chaud, et elle éprouvait un désir grandissant de connaître Chris. Il était tout ce qu'elle espérait d'un homme. Jusqu'à présent, il s'était conduit parfaitement, il veillait sur elle, il avait énormément d'entregent et il avait réussi à la mettre à l'aise, ne cessant de la faire rire. C'était si bon d'être auprès de lui. Elle avait tant attendu que son prince se présente à elle. Jamais elle n'avait partagé une telle complicité avec un homme, ce qui n'était pas bien étonnant, vu les mœurs de son pays d'origine.

Puis, il se pencha au-dessus d'elle, de manière à lui susurrer quelques mots à l'oreille. Elle fut submergée par son effluve. Son corps était chaud, elle le sentait. Du haut du siège en cuir rouge, elle ne bronchait pas, mais elle attendait la suite avec convoitise. Dans le club, les gens dansaient et s'embrassaient. À les voir, on aurait cru que la fin du monde approchait, que cette soirée était le début de la fin. Tout en s'approchant d'elle, il fit glisser sa main sur sa cuisse. D'une poigne ferme et assurée, sa main poursuivit sa course sur Nassoumi, s'arrêtant au bout du tissu marquant le début de sa petite robe noire. D'un ton séducteur, il lui proposa d'aller dans un endroit plus calme pour discuter.

Nassoumi était ébahie. Jamais un homme n'avait posé la main sur elle d'une telle façon. Alors que les doigts de Chris dansaient sur son corps, elle avait ressenti un pincement au bas-ventre. Cela ne l'avait pourtant pas fait souffrir, c'était comment dire... agréable. Alors qu'elle le suivait dans la foule, elle sentit s'agiter en elle des milliers de papillons. Était-ce donc cela, l'amour ?

Il la conduisit dans une pièce un peu à l'écart. L'éclairage tamisé, les tissus feutrés et les couleurs chaudes contribuaient à créer une atmosphère des plus intimes. Nassoumi avait de la difficulté à marcher droit, elle perdait l'équilibre. Elle riait. Jamais n'avait-elle eu autant de plaisir, pensa-t-elle. Elle s'adossa au mur un instant, puis elle ferma les yeux. Elle voulait profiter de chaque seconde qui passait. Tout semblait irréaliste : ce décor, cette ambiance, cet homme. Puis, les mains de Chris se posèrent sur ses hanches. Elle ouvrit les yeux, il plongea son regard dans le sien et lui murmura des mots doux. Des mots qu'elle rêvait d'entendre depuis son adolescence. Des mots qui vous transportent sur la lune. Des mots tendres. Puis, suavement, il déposa un baiser dans son cou. Nassoumi frissonna. L'assurance des gestes la bouleversait. Il remonta lentement jusqu'à ses lèvres. La tension était palpable. Nassoumi était déchirée. D'un côté, le désir d'embrasser la tenaillait, de l'autre, la pudeur que son éducation lui avait inculquée la rendait coupable. Toutes ces questions furent bientôt du passé. À la rencontre de ses lèvres et de celles de Chris, son cœur cessa de battre un moment. Ce fut un long baiser, digne de toutes ses espérances. De longues minutes, ils s'enlacèrent. Puis, elle sentit la main de Chris qui lui chatouillait la cuisse et se mettait à monter le long de sa jambe. Cette fois, le geste ne s'arrêta pas au bord de sa robe. D'une main ferme, l'homme tentait de soulever le tissu pour se risquer à d'autres activités... Nassoumi sursauta. D'une voix douce, elle lui dit :

– Pourquoi nous presser, nous avons la vie devant nous. Prenons notre temps...

Il se détacha d'elle, surpris par ce qu'il venait d'entendre, puis il dit :

— Bien sûr, je vais aux toilettes et je reviens.

Nassoumi flottait. Qui aurait cru qu'elle trouverait l'amour cinq jours après son arrivée en Amérique ? Elle avait le cœur léger. Puis les minutes se firent longues. Chris n'était toujours pas revenu. Elle se mit à sa recherche. Au loin, elle aperçut Jwan. Celle-ci venait à sa rencontre. Elles échangèrent quelques mots. Nassoumi brûlait de lui décrire sa soirée. Alors qu'elle lui racontait son récit à l'eau de rose, Jwan l'interrompit et alla à la rencontre d'un homme qui dansait avec des amis. Nassoumi la suivit, curieuse. Lorsqu'elle parvint enfin à Jwan, celle-ci lui faisait dos et tenait le garçon par la main. Jwan et son compagnon se retournèrent, lui faisant maintenant face. Il la tenait par la taille.

— Nass, voici Christopher, mon petit copain. Je t'ai parlé de lui, tu te rappelles ?

Nassoumi resta debout, figée. Elle le regardait sans comprendre. Elle était estomaquée. Elle se sentait trahie. Comment avait-il pu jouer avec elle ainsi ? Elle qui croyait avoir trouvé l'amour. Ses yeux s'emplirent d'eau. D'un air amusé, il dit :

— J'ai cru entendre que tu étais nouvelle ici.

Il lui fit un clin d'œil, et tout en s'éloignant, il reprit :

— Bienvenue en Amérique.

Christiane Bertrand
École secondaire catholique régionale de Hawkesbury

Christiane est passionnée par le ski. Elle rêve d'étudier à l'étranger et de travailler plus tard au sein d'une grande firme d'avocats ou d'une multinationale. Pour l'instant, elle profite de chaque moment passé avec sa famille et ses amis !

Un voyage en métro

LE MOUVEMENT SOUDAIN du wagon projeta l'homme vers l'avant ; il bouscula la jeune dame à sa droite. Il se releva maladroitement et fit un pas en arrière en s'excusant, la tête baissée. Levant les yeux, il rencontra le regard insistant d'un étranger. Il se laissa dévisager et ramena autour de lui un manteau trop grand pour sa maigre carrure. Une longue cicatrice défigurait son visage, partant de l'arcade sourcilière pour descendre en croissant de lune jusqu'à la lèvre, la retroussant légèrement. L'homme fronça les sourcils et l'étranger fit de même. L'homme détourna la tête, mal à l'aise, choisissant plutôt d'observer son entourage. Visage par visage, il fit le tour du wagon de métro ; il se demanda qui étaient toutes ces personnes autour de lui. Quelle pouvait bien être leur histoire ? Après tout, se dit-il en soupirant, ce sont bien nos expériences qui nous définissent. L'atmosphère était décidément étouffante. Il commença à ressentir un inconfort qu'il associa au métro. Desserrant son nœud de cravate, il ravala sa salive. Des souvenirs bien trop douloureux remontaient à la surface.

* * *

La chaleur voile tous les bruits, alourdit l'atmosphère et force tous les habitants du village à se mettre à l'abri. Tout se passe rapidement : une porte défoncée, l'ombre d'un officier, des ordres qu'il ne comprend pas. Des cris surpris fusent de partout. S'agrippant à sa mère, il hurle à en perdre la voix. Un soldat marche vers lui, ses bottes battent le pavé à un rythme menaçant. D'une poigne de fer, il attrape l'enfant par le collet, mais ce dernier, maigre pour ses huit ans, n'arrête pas de se débattre. Tendant les bras vers sa mère, il la supplie du regard. Pourquoi ne réagit-elle pas ? Pourquoi l'abandonne-t-elle ?

Il comprend seulement en voyant, par la porte grande ouverte, le bateau accosté à la jetée et des dizaines d'hommes à la peau blanche en débarquer. Les rumeurs étaient donc vraies. Fuir. S'échapper à tout prix. Il profite d'un moment d'inattention du soldat pour se libérer et foncer vers la porte. Il s'arrête sur sa lancée, épouvanté par le chaos qui règne maintenant dans son village tant aimé. « Pas possible ! » murmure-t-il. Des dizaines d'enfants, des cousins, des frères, des amis, se font enlever. L'air est rempli de cris d'enfants se débattant, de mères pleurant et de pères hurlant, tous impuissants face aux armes à feu des étrangers. La nausée l'envahit en voyant une jeune femme particulièrement farouche se faire assommer d'un coup de matraque. Trop absorbé par la scène qui se joue devant lui, le jeune ne s'aperçoit pas qu'un officier approche. Un coup à la nuque le jette par terre. Il sent une corde rude lui serrer les poignets. D'un mouvement brusque, l'officier l'entraîne à sa suite. Il se retourne, affolé, cherchant ses parents.

* * *

À partir de ce moment, ses souvenirs devenaient plus flous. La douleur, l'odeur du vieux camion. Les enfants entassés les uns sur les autres. Une attente, une longue attente. Une soif insatiable. Le palais sec, la langue gonflée, l'obéissance dans l'espoir qu'on lui donne un peu d'eau. Ensuite, il revoyait une salle remplie de centaines d'enfants.

* * *

Il ne peut pas respirer. Les minutes s'écoulent et la panique le gagne. Cet ennemi lent, implacable, allié de la peur, qui consomme l'individu tout entier. Des dames vêtues de blanc font le tri des enfants. Un vieil homme, en longue robe noire et aux yeux cruels, les suit, examinant chacun d'entre eux, tirant les cheveux, ouvrant les bouches, regardant sous les bras. Une petite fille se met à sangloter et l'homme lui assène une gifle d'une telle violence qu'elle titube. Sa brutalité sert d'avertissement aux autres. On lui rase la tête, sacrifiant la chevelure dont il était si fier. L'humiliation profonde de se faire attribuer un numéro, un uniforme. L'ordre de ne plus jamais évoquer sa langue, sa culture, ou sa tradition. Ses premières larmes lui ayant mérité un coup de fouet, traçant des lignes brûlantes sur son dos, il apprend rapidement à se taire. Obéir. Penser plus tard, seulement obéir.

Les jours se succèdent sans qu'il puisse les compter. Passant son temps dans une petite chambre qui ressemble à la cage d'une souris de laboratoire, il perd le goût de parler. De jouer. De vivre. Il n'est évidemment pas le seul. Ceux qui sont restés plus longtemps dans cet établissement semblent les plus meurtris. Il entend des choses qu'il préférerait oublier. Ses pensées sont morbides, emplies d'images de tortures, de chambres froides remplies de corps morts, de fours crématoires, de chaises électriques, de viols, de... d'horreurs. La terreur est omniprésente. Il est sous surveillance constante. Il passe ses journées à manger, à dormir, à rester dans sa chambre ou à prendre des cours de français. Des mots étranges dans sa bouche, des coutumes qu'il trouve anormales. Il comprend finalement ce qu'on attend de lui lorsqu'il entend l'homme aux yeux cruels dire à son collègue :

— On dirait que l'on aura bientôt terminé d'extirper l'Indien des Indiens !

Caché, l'enfant écarquille les yeux, file dans sa chambre et se murmure à lui-même la berceuse que lui chantait sa mère. Ne pas oublier, malgré la distance entre lui et sa famille, qui paraît de plus en plus infranchissable à mesure que les jours passent. Un soir, dans le réfectoire, un garçon plus vieux qu'il reconnaît comme étant l'un de ceux qui se font souvent battre, chuchote quelque chose à l'oreille de la fille à côté de lui. Un claquement sec se fait entendre. Il est rigoureusement interdit de communiquer librement entre eux. Si proches, mais éternellement séparés. Le garçon tourne la tête en affichant un sourire narquois, défiant le gardien et lui répondant dans sa langue maternelle. Les autres en restent bouche bée.

— Vous n'êtes plus chez vous. Ici, nous avons des règlements à suivre, lui crie un garde.

L'autre réplique, sans broncher :

— Amérindien, et fier de l'être.

Le fouet fait taire les applaudissements naissants. Cette nuit-là, tous font semblant de ne pas entendre le cri que lui n'oubliera jamais. Perçant. Douloureux. Terrifiant. Le jeune Indien ne revient pas. Après le fouet, les tranquillisants, dit-on. Rien n'est confirmé. Rien n'est jamais confirmé.

Il pleut comme il n'a jamais plu auparavant. Le jeune garçon n'en peut plus, après trois mois misérables dans l'institution qu'il commence à haïr. Refermé sur lui-même, il ne parle plus, mange moins, boit peu. Par miracle, il survit à l'épidémie meurtrière qui semble de plus en plus virulente. Il décide, au premier coup reçu, qu'il ne va pas être humilié. Pas par ces hommes qui ne le connaissent pas. Il refuse de poser des gestes qui le réduiraient à moins qu'une poussière à balayer. Il ne va pas se laisser battre de nouveau, ni se déshabiller devant tout le monde, pour finir, comme des centaines d'autres avant lui, dans une tombe souterraine. Il est dégoûté par ces enfants violés et ces jeunes filles enceintes malgré elles, par le mensonge, l'assimilation forcée et parfois la mort. Il se rend compte qu'il ne pourra plus chanter la berceuse de sa mère. Il accepte toutes les punitions, mais la tête haute (puisque personne ne semblait y échapper), sans un mot. Il a tout perdu. Même l'espoir.

Le jeune garçon contemple le paysage mouillé, assis sur son lit, seul dans sa cellule. Les gouttes d'eau s'écrasent contre la vitre en un bruit assourdissant, accompagnant le grondement du tonnerre. Il voit son reflet dans la vitre. Lentement, il lève le bras et frôle la glace du bout des doigts. Qui est-il à présent, à part le numéro 4723 ? Déprimé, il se roule en boule sur son lit, ferme les yeux et s'endort sur cette question.

Un coup de tonnerre. Le bruit de verre cassé. Il s'éveille en sursaut, une douleur atroce au visage. Il hurle. Le vent et la pluie le fouettent au visage. La tempête est à présent dévastatrice. Il a vu la fenêtre voler en éclats au-dessus de lui. Il palpe une profonde blessure sur sa joue. Il se lève, regarde sa cellule, puis la fenêtre. La liberté, intimidante, à sa portée. Il saute et court, ne s'arrêtant qu'au bout des larmes qui lui cachaient la vue et lorsque ses pleurs l'empêchent de respirer.

* * *

L'homme ouvrit les yeux. Le wagon ralentit pour entrer dans une autre station. Il fut surpris de se retrouver là. On annonça son arrêt, il avait parcouru cinq stations. Il respira profondément et se débarrassa de ses pensées. Oublier. Oublier celui qu'il a été, celui qu'on voulait l'obliger à devenir. Il regarda devant lui. L'étranger le regarda aussi. Il toucha sa cicatrice. Qui était-il à présent, à jamais marqué par son expérience passée ? Les portes s'ouvrirent et il sortit. Un homme parmi des centaines d'autres.

Camille Meunier
Collège français de Toronto

Avide lectrice de romans de tout genre et passionnée des arts, Camille est fascinée par les cultures et traditions d'ailleurs. Elle croit sincèrement que le voyage, avec l'immersion dans un monde étranger, façonne l'esprit, permet l'ouverture vers de nouveaux horizons, développant ainsi le goût d'apprendre et de s'enrichir.

IDENTITÉS RELIGIEUSES
ET CULTURELLES

Une foi mise en doute

JÉSUS-CHRIST, SAUVEUR DES hommes... Symbole d'amour, de compassion, de tolérance. Le regard de Catia ne pouvait se détacher de la scène de crucifixion, cette image qui l'avait suivie depuis l'école élémentaire. Écrasée sur son pupitre, elle ne pouvait se concentrer sur le cours d'histoire qu'enseignait Mme Bouchard, mais plutôt sur le sentiment mélancolique que lui procurait cette gravure : les centaines de leçons d'enseignement religieux qu'elle avait dû écouter, les sermons du prêtre et de son père. Une enfance entrelacée avec la foi chrétienne...

Son attention s'était redirigée vers le cours d'histoire. Les élèves discutaient de l'Inquisition espagnole, un massacre de plusieurs milliers d'hérétiques. C'était un chapitre affreux dans l'histoire de l'Église catholique. La religion, pensait-elle, avait causé tellement de malheur et d'injustice dans l'histoire de l'humanité.

* * *

Assise sur le plancher de sa chambre, Catia était en état de réflexion profonde. Elle songeait à son enfance. Elle avait été élevée dans un environnement de prônes religieux. Son père, très autoritaire, élevait ses enfants comme l'avait fait son propre père. Les traditions n'étaient jamais remises en question. Dans cette petite communauté catholique française, c'est justement ce que l'on attendait d'elle... qu'elle fasse comme tout le monde.

Elle pensa donc au sacrement de confirmation qui allait avoir lieu dans un mois. Cette cérémonie l'intimidait. Elle devait confirmer sa foi chrétienne. Elle devait suivre ses amis sur la *route de la foi*, mais elle n'en avait plus du tout le goût. Comment annoncer à ses parents son manque de conviction, au risque de les décevoir? C'est à ce moment que sa mère était entrée dans sa chambre:

— Qu'est-ce que tu fais à terre, à rien faire? Penses-tu venir magasiner avec moi demain... pour trouver un ensemble en vue de ta confirmation?

Déception...

— Eurgh, pourquoi en faites-vous une telle affaire? Ch'peux pas juste mettre des pantalons et un t-shirt? Mes amis ne vont pas tous s'habiller propre!

Excuses...

— Catia, c'est ta confirmation, ton dernier sacrement avant ton mariage! C'est important!

Frustration...

— Et que se passe-t-il si je n'suis plus certaine...?

Elle regretta ses paroles aussitôt sorties de la bouche. Trop tard, elle les avait prononcées.

— Ne prends pas ce ton avec moi, ma p'tite. On ne va pas recommencer avec tes histoires! Je n'veux plus en entendre parler.

Sa mère sortit de la chambre, emportant avec elle sa colère. La tension étouffait Catia.

Le lendemain matin, l'atmosphère familiale était tendue. Catia se sentait persécutée par ses parents. Les regards accusateurs de sa mère lui perçaient le cœur. Son père l'ignorait. Pourtant, elle n'avait dit que cinq mots. Elle était découragée.

Son aversion envers sa *foi* devenait de plus en plus forte. Les préparatifs pour la confirmation étaient tellement nombreux que Catia pensait exploser de frustration. Cette incertitude qui mijotait en elle s'était muée en une profonde conviction.

Après l'école, Catia rentra chez elle, imprégnée d'un sentiment d'impuissance inébranlable. Les parents et la grand-mère de Catia sirotaient leur thé dans la salle de séjour. Sa mère lui demanda de se joindre à eux. La question était accompagnée d'un regard non équivoque.

— Ça fait longtemps que je ne t'ai pas vue! lui dit sa grand-mère. On me dit que tu feras bientôt ta confirmation? La petite dame était assise élégamment sur le vieux divan dans le coin de la salle. Sa grand-mère semblait si fière, le visage illuminé de bonheur et d'excitation à l'approche d'un tel événement.

— Oui, je suppose... répondit Catia, qui s'était lancée sur le sofa nonchalamment.

Sa mère lui lança un regard acéré. Catia ne pouvait pas s'empêcher de lever les yeux au ciel. Cependant, au fond de son esprit, elle était nerveuse. La déception de sa mère la rendait inconfortable.

— Eh, j'suis tannée de cette attitude. Tu es une LaFantasie alors tu vas agir comme une LaFantasie. Le ton de sa mère était sévère.

— Maman... Je n'veux pas être confirmée! Je ne crois pas à toutes ces... tous ces... mensonges!

Elle savait qu'elle en avait trop dit. Elle pouvait voir l'étonnement sur le visage de sa grand-mère et la colère sur ceux de ses parents. Elle pouvait sentir les regards perçants de sa famille. Un silence écrasant s'était installé dans la salle. Finalement, son père parla :

— C'est quoi ton problème ? J'veux dire, franchement, on est catholiques. Tu vas être confirmée comme tout le monde ! C'est simple. Je ne comprends pas où tu vas chercher ces folies. Pourquoi tu te compliques la vie ?

Chaque phrase était comme une flèche brûlante qui se dirigeait vers elle. Une combinaison de peur, d'intimidation, mais surtout de colère monta en Catia.

— Nous devrions avoir un choix quant à la religion que l'on pratique !

Elle se sentait blessée, mais surtout incomprise. Elle se leva sans dire un mot, et se dirigea vers la porte. Elle ne pouvait plus soutenir ces regards accusateurs.

Elle marcha lentement, ses pensées en état de chaos. Elle ne savait pas ce qu'elle devait faire. Devait-elle adhérer aux croyances que ses parents jugeaient les bonnes ? Ou devait-elle croire en ses propres croyances et ne pas se laisser convaincre du contraire ? Tout ce qu'elle avait appris depuis l'enfance était en conflit avec son identité profonde. Les adultes lui avaient toujours dit d'écouter et de suivre l'exemple de ses parents... Mais ces derniers lui avaient également dit d'être elle-même et de se créer ses propres opinions...

Elle passa devant l'église Saint-Joseph et s'arrêta. Elle scruta la croix clouée au sommet de l'édifice. À cet instant, tous les souvenirs du passé l'inondèrent... La fierté qu'elle avait ressentie dans sa petite robe rouge, mi-endormie pendant la messe de minuit... Son regard fixé sur l'élégance de sa cousine lors de ses noces... Pleurant sur l'épaule de son père pendant les funérailles de sa tante Nicole... Son sentiment d'importance lors de sa première communion... Les souvenirs qui jouaient dans sa tête comme un vieux film ne lui apportaient que des sentiments de bonheur, de fierté... et surtout, de paix. Elle réalisa qu'en regardant cette croix, elle avait été recouverte d'une vague de sérénité et d'assurance qui la protégeait. Jamais elle ne s'était sentie en danger à l'église... Cette réalisation l'aidait maintenant à franchir une étape importante de sa vie.

Catia rentra à la maison. Elle s'assit sur le divan, son visage ne trahissant aucune émotion. Sa mère entra dans la salle, la bouche serrée. Elle regardait sa fille avec déception, Catia ne pouvait pas le supporter. Elle savait qu'elle devait s'excuser, qu'elle devait revenir sur ses mots irrespectueux. Elle avait tort, sa culpabilité la rongeait

— Je ferai ma confirmation, même si je ne crois pas en ce que la religion représente.

Ses mots chuchotés étaient doux, mais secs. Ils n'exigeaient aucune réponse de sa mère.

— Pour l'instant, je vais respecter vos croyances, jusqu'à ce que je déchiffre les miennes.

Elle se leva et se dirigea vers sa chambre. Le souffle d'exaspération de sa mère la frappa dans le dos comme un coup de poing.

Hannah Martin
École secondaire catholique Franco-Cité, Sturgeon Falls

Passionnée des arts, Hannah s'adonne à la peinture et au dessin durant ses temps libres. La lecture et l'écriture l'intéressent également. Cependant, sa vraie passion est la politique et l'actualité mondiale, ce qui l'a inspirée à poursuivre ses études en développement international et mondialisation en septembre prochain.

Une identité en une fin de semaine

L A VIE D'UN ÉLÈVE du secondaire peut être compliquée. L'entrée en 9e année va être stressante pour n'importe qui. Pour Tristan Bélaire, c'était sa première journée dans une nouvelle école, dans une nouvelle ville et dans une nouvelle langue.

Au niveau intermédiaire, Tristan avait fréquenté une école d'immersion du sud de l'Ontario, un milieu très influencé par les États-Unis, où les jeunes parlaient surtout anglais. Une journée, les cours étaient en français et le lendemain, ils étaient en anglais. La plupart des élèves du programme d'immersion parlaient peu le français. Leurs parents les avaient inscrits à ce programme quand même, car ils pouvaient affirmer : « Mon enfant va à l'école en français », ce qui n'était pas nécessairement vrai. La famille Bélaire était francophone d'origine. Depuis son jeune âge, Tristan vivait en français au quotidien, mais lorsque les Bélaire ont déménagé à Windsor en 2002, l'école la plus près de leur domicile était l'école offrant le programme d'immersion. Ils vivaient à deux minutes de marche de cette école. Il aurait fallu faire 30 minutes d'autobus afin de fréquenter l'école francophone la plus proche. Le choix était clair : envoyer Tristan à l'école d'immersion.

Avec le temps, il parlait de moins en moins français avec sa famille. Ce n'était pas parce qu'il ne le pouvait pas, mais plutôt parce qu'il ne le voulait pas. Tous ses amis étaient anglophones et cette langue était plus simple pour lui. Il préférait l'anglais. Il développa même un accent anglophone lorsqu'il parlait français. Ses parents virent cela comme un problème et essayèrent de l'encourager à parler français. Ils craignaient que Tristan perde sa langue maternelle de façon permanente. Ils décidèrent donc de retourner vivre dans l'est de l'Ontario, à Casselman, une région presque uniquement francophone. L'école secondaire y était beaucoup plus grande que l'école anglophone et elle était la plus près de la maison. Pour cette raison et pour contrer l'anglicisation de leur fils, les parents de Tristan l'envoyèrent commencer son secondaire à l'école uniquement francophone.

— *I don't want to go to a French school! I'm not going to understand any of my classes*, disait Tristan.

— Tu vas être correct, tu vas t'y habituer, répondait sa mère.

— Tu es très intelligent et tu vas t'adapter facilement! ajoutait son père.

— *And I'm not going to make any friends either!* répliquait Tristan, frustré de la situation, car il savait qu'il n'allait pas gagner cette bataille.

— Mais oui, tu vas te faire plein d'amis, ne t'inquiète pas! le rassurait sa mère.

La première journée d'école arriva et Tristan fit son entrée à l'École secondaire de Casselman. Il ne voulait pas parler aux autres à moins d'être obligé de le faire, comme lorsqu'il cherchait une classe ou pour savoir quand était l'heure du dîner. Sa volonté de ne pas parler français tenait à deux raisons: il était encore fâché et il avait un peu honte de son français. Son accent était pire qu'il le pensait. Puisque Casselman est une ville très francophone, les élèves socialisaient presque toujours en français. Même sur *Facebook*, la plupart des élèves écrivaient en français. Leurs expressions, leur vocabulaire et leur volonté de toujours parler français le surprenaient. Même lorsqu'il passait chez Tim Hortons après l'école, la caissière essayait de prendre sa commande en français. C'était un choc de passer de l'anglais au français. D'un extrême à l'autre.

Tristan ne s'était pas fait beaucoup d'amis au début de l'année, puisqu'il avait peur de faire rire de lui, mais cela lui permettait de se concentrer sur ses travaux scolaires. Malgré tout et avec le temps, Tristan s'adaptait bien. Vers la fin du semestre, il avait beaucoup moins de difficulté dans ses cours. Mais il y avait quelques concepts de sciences qu'il devait parfois clarifier. Cela ne l'empêchait pas d'être encore fâché contre ses parents.

Le deuxième semestre commença et Tristan avait maîtrisé ses cours. Il devait ensuite passer à l'étape qu'il avait évitée un peu, celle de se faire des amis. Il connaissait déjà deux personnes, des amis de la famille : Kevin et Olivier Rousseau, des jumeaux. C'était avec eux qu'il passait ses midis et ses pauses à l'école, même s'ils étaient en 11e année et lui en 9e. Les jumeaux connaissaient la situation de Tristan et ne voulaient pas l'empirer en le laissant sans amis.

Un soir du mois de mars, la famille Bélaire et la famille Rousseau avaient planifié un souper. Ils se rappelèrent les bons souvenirs des jumeaux et de Tristan quand ils étaient petits. Ils parlèrent aussi de la manière dont Tristan s'adaptait et de l'engagement de Kevin et Olivier à l'école. Les jumeaux étaient très engagés dans la communauté francophone. Après la soupe et la salade, ils abordèrent le sujet de la FESFO. C'était quelque chose de complètement nouveau pour la famille Bélaire.

— La Fédération de la jeunesse franco-ontarienne. C'est un regroupement jeunesse qui réunit des francophones de tout l'Ontario, dit Olivier.

— Ils ont des activités pendant l'année, comme des forums régionaux et les Jeux franco-ontariens ! ajouta Kevin, avec excitation.

— Les Jeux franco-ontariens se tiennent annuellement au mois de mai. Ils rassemblent environ 600 jeunes de partout en Ontario autour de compétitions variées. C'est l'événement que j'attends depuis le début de l'année ! spécifia Olivier, avec encore plus d'enthousiasme.

Les jumeaux aimaient bien la FESFO et ils pouvaient en parler pendant des heures. Après le repas principal, ils avaient réussi à convaincre Tristan de venir aux Jeux cette année.

À la fin du mois d'avril, les inscriptions pour les Jeux étaient faites et Tristan était inscrit au volet sport. C'était le seul volet qui semblait l'intéresser, car il ne voulait pas aller en arts visuels, ni en impro, ni dans une autre des cinq disciplines offertes. Il ne s'attendait pas à autant d'excitation de la part des autres jeunes de son école vis-à-vis de cette activité. La semaine des Jeux est arrivée et tout le monde en parlait. La veille, ses bagages étaient faits, avec l'aide de Kevin et d'Olivier. Il ne savait pas trop à quoi s'attendre, mais il avait l'impression qu'il allait s'amuser.

Plusieurs heures d'autobus, de chansons à répondre et de matchs de loup-garou plus tard, il arriva à Sault-Sainte-Marie. Ce ne fut pas long avant qu'il devine qu'il allait aimer ça.

La cérémonie d'ouverture était longue. Il y avait beaucoup de discours de personnes importantes qu'il ne connaissait pas. Ces personnes n'arrêtaient pas de répéter le même message : que la jeunesse est tellement importante pour le développement de la communauté franco-ontarienne. Il ne comprenait pas vraiment ce que lui, Tristan Bélaire, pourrait faire pour la communauté franco-ontarienne. Il était venu pour s'amuser et non pour changer le monde.

Vers la fin de la cérémonie, des jeunes se sont présentés sur l'estrade et se sont placés en rangs. Ils ont commencé à chanter *Notre Place*, de Paul Demers. Tristan connaissait la chanson, mais il n'y avait jamais réfléchi. Il ne pensait pas qu'un sentiment d'appartenance puisse se développer à partir d'une simple chanson, mais lorsque l'aréna vibra, rempli de six cents jeunes venus de partout en Ontario qui chantaient fièrement *Notre Place*, il comprit.

Il était Franco-Ontarien.

Le sentiment d'appartenance à la communauté franco-ontarienne que Tristan ressentit lors de cette chanson était inexplicable. Six cents jeunes de partout en province chantaient le plus fort possible : « Faut se lever, il faut célébrer. Notre place ! Aujourd'hui pour demain. Notre place ! Pour un avenir meilleur. Notre place ! Oui donnons-nous la main. Notre place ! Ça vient du fond du cœur ! ». C'était un moment qu'il fallait vivre et Tristan savait qu'il voudrait le revivre année après année.

Le reste de la fin de semaine, Tristan s'est amusé. Il a compris pourquoi tout le monde était si excité de venir aux Jeux franco-ontariens. Non seulement lui et son équipe sont-ils revenus avec une médaille d'or, mais Tristan revenait avec plein de nouveaux amis, un t-shirt couvert de signatures, des tas de souvenirs et, surtout, avec une nouvelle identité.

* * *

Ce fut un tournant dans la vie de Tristan Bélaire. Depuis ses Jeux de la 9e année à Sault-Sainte-Marie, il s'affiche fièrement en tant que Franco-Ontarien. Il a participé à toutes les autres activités de la FESFO, il s'est impliqué au sein de son gouvernement des élèves et aussi au centre culturel de sa région. Il voit l'importance d'être francophone et il remercie ses parents de l'avoir inscrit dans une école francophone. Tristan comprend maintenant ce que les discours de ses premiers Jeux signifiaient. Il est vrai que la jeunesse est importante pour le développement de la communauté franco-ontarienne.

Tristan Bélaire, un élève sortant de l'école secondaire de Casselman, fier d'être Franco-Ontarien.

Véronique Giguère
École secondaire catholique Marie-Rivier, Kingston

Comment décrire Véronique Giguère en 50 mots ou moins ? Depuis sa naissance, elle a appris deux langues, a déménagé trois fois, a voyagé en Australie, a visité quatre pays d'Europe, a vu plus de 60 groupes en concert et s'est découvert une passion pour la photographie. Mais cela n'est que le début...

Le hijab

Tout en replaçant distraitement le hijab qui lui couvrait les cheveux, Hanna risqua un coup d'œil entre les deux rangées de casiers qui couvraient les murs de l'école. Zut. Les deux garçons étaient encore là. Ils l'attendaient, elle en était certaine, tout comme ils l'avaient attendue tous les jours cette semaine. Feignant de s'intéresser à une affiche publicitaire, ils jetaient des coups d'œil furtifs autour d'eux.

« Tels des prédateurs guettant une proie », pensa-t-elle en soupirant. « Je n'y échapperai pas cette fois-ci. »

Souvent, l'adolescente préférait attendre que les classes soient commencées pour se rendre à ses cours. Ainsi, même si elle arrivait en retard, elle évitait les remarques désobligeantes des garçons. Mais, la veille, monsieur Bilodeau lui avait clairement fait comprendre qu'il ne lui permettrait pas un autre retard. Elle prit donc son courage à deux mains et avança d'un pas rapide dans le long couloir.

Félix la remarqua aussitôt. Un sourire espiègle illumina son visage et il donna un coup de coude à son ami Will, tout en lui chuchotant quelque chose qu'Hanna n'entendit pas. Elle gardait la tête haute et tentait de marcher d'un pas confiant, même si elle se sentait tressaillir.

– Tiens, la voilà qui arrive ! s'écria Will.

Les rires fusèrent autour d'Hanna et elle pressa le pas.

– Est-ce que tu l'enlèves des fois ton déguisement ? poursuivit-il en désignant son hijab. L'Halloween, c'est pas aujourd'hui.

Sous les rires moqueurs des autres élèves, Hanna entra dans sa classe et s'affala sur son siège. Tout en essuyant du revers de la main ses yeux pleins de larmes, elle ouvrit son livre de cours au hasard et fit semblant d'être absorbée par sa lecture. Même si elle comprenait l'importance de ce symbole religieux, Hanna avait souvent souhaité ne pas avoir à porter le hijab.

« Après tout, pensa-t-elle en observant son reflet dans une fenêtre de la classe, sans cela, je pourrais passer pour une étudiante tout à fait normale. » Rappel constant de sa différence, son hijab la rendait vulnérable aux moqueries des autres élèves.

* * *

Décidément fier de son coup, Will ricanait encore lorsqu'il prit place à son pupitre. Il remarqua la mine dépitée qu'affichait sa victime et en tira une grande satisfaction.

Quelques années auparavant, sa sœur aînée avait perdu son mari dans les attentats terroristes du World Trade Center. Ainsi, Will avait appris très jeune à craindre tout ce qui avait trait à l'Islam. Il en était même venu à voir en cette religion un symbole de cruauté et de souffrance. Il s'était convaincu que c'était à ce symbole qu'il s'attaquait en s'en prenant à Hanna, et non à elle personnellement.

« Aujourd'hui, pensa-t-il en regardant avec mépris la jeune musulmane, elle est sur le point de craquer. C'est le temps de frapper un grand coup. »

* * *

À la fin de la journée, qui se déroula sans plus d'événements fâcheux, Hanna se rendit à son casier pour ramasser ses affaires. Elle avait décidé, comme elle le faisait de plus en plus souvent dernièrement, de marcher pour se rendre chez elle au lieu de prendre l'autobus. Cela lui permettait de se détendre et d'oublier temporairement ses problèmes. Elle s'apprêtait justement à partir lorsque la directrice de l'école, Mme Moreau, se posta derrière elle.

— Un instant, jeune fille, dit-elle d'un ton cassant auquel Hanna n'était pas habituée. Je crains d'être obligée de fouiller votre sac.

Elle désigna d'un mouvement de la tête le sac d'école d'Hanna, sur le sol à côté d'elle.

Surprise, Hanna ne sut que répondre et tendit docilement le sac à la femme austère. Celle-ci l'ouvrit d'un geste sec et examina rapidement son contenu avant de dénicher ce qu'elle y cherchait. Elle en sortit un portefeuille de cuir noir qui contenait de nombreux billets de vingt dollars, ainsi qu'une carte étudiante au nom de Will Dupré.

À quelques mètres de là, Will, qu'Hanna n'avait pas encore remarqué, observait le portefeuille avec intérêt.

— C'est bien le mien, déclara-t-il. Je le savais. Quand j'ai remarqué sa disparition, j'ai tout de suite su que c'était elle qui me l'avait volé.

Une foule de curieux, ayant entendu les paroles de Will, commençaient à s'attrouper autour d'eux. Content de l'effet qu'il avait créé, Will ajouta, en soupesant bien chacun de ses mots :

— Le jour où elle est arrivée à cette école, j'ai tout de suite pressenti qu'elle serait une fautrice de troubles. Que voulez-vous, on ne peut faire confiance à ce genre de personne.

Cette remarque suscita aussitôt des regards noirs et des murmures désapprobateurs à l'intention d'Hanna. Incapable de les soutenir, Hanna tourna prestement les talons et se dirigea vers la sortie. Ignorant la directrice qui l'appelait à grands cris, elle sortit de l'école en se promettant mentalement de ne plus y remettre les pieds.

*   *   *

Le soleil commençait à se lever dans le ciel et Hanna éteignit son cadran d'un geste de la main. Elle avait un peu mal au ventre ce matin, ce qu'elle associait à la nervosité. En effet, ses parents avaient enfin consenti à la changer d'école, et elle commençait aujourd'hui. Après s'être préparée comme d'habitude, Hanna hésita devant la porte de sa garde-robe.

« Devrais-je mettre mon hijab ce matin ? », se demanda-t-elle en effleurant du bout des doigts le tissu noir et épais dont il était fait. « Non pas que j'en aie honte, bien sûr. Mais... »

Elle repensa aux événements des dernières semaines. Les commentaires malveillants, les blagues racistes, les regards méfiants. Pas question de revivre cela. Elle voulait partir du bon pied, cette fois-ci.

« Mais à quel prix ? », pensa-t-elle. « Est-ce qu'être acceptée par les autres vaut vraiment la peine de sacrifier une partie de qui je suis ? »

Incapable de prendre une décision, elle resta de longues minutes devant sa garde-robe. Quand elle se mit enfin en route pour l'école, la porte de l'armoire était toujours ouverte et on pouvait clairement y voir un hijab noir, pendant sur son cintre métallique.

Andréanne Bouchard
École secondaire catholique de Hearst

Andréanne est étudiante de 11ᵉ année. D'aussi loin qu'elle se souvienne, elle a toujours adoré écrire toutes sortes d'histoires. Elle a également un intérêt pour les arts visuels, tel le dessin. Elle a l'intention de poursuivre ses études à l'Université Laurentienne de Sudbury, ou à l'Université d'Ottawa, en biochimie.

Le « p'tit Indien »

JE ME NOMME Ankit, Ankit Beauchamp. J'ai dix-sept ans. J'habite le nord de l'Ontario, dans un très petit village ou, plutôt, une réserve indienne appelée Moosonee. Dans ma famille, je suis l'enfant du milieu ; entre ma sœur aînée, partie de la maison depuis trois ans, et mon frère cadet, mort lors d'une fusillade à l'école, il y a quelques mois. Je ne fréquente quasiment plus l'école ; ça n'a plus aucun intérêt pour moi.

L'hiver, je joue au hockey sur le lac gelé avec mes amis et, l'été, on chasse et on pêche. Chaque jour propose une aventure différente. Par contre, j'ai un rêve. Un grand rêve. Mais je n'ose le dire à personne. Les gens me traitent de lâche parce que j'ai abandonné l'école, mais ils ne savent pas ce qui se passe dans ma tête. Tous les soirs, avant de m'endormir, je pense à ce que je veux vraiment. Je ne veux pas d'un million de dollars, je ne veux pas avoir ma propre voiture, je ne veux pas d'une copine aux cheveux blonds et au corps parfait, je ne veux pas d'une plus grande chambre à coucher et encore moins d'un nouvel iPod. Ce que je veux véritablement, c'est faire partie d'une équipe de hockey triple A. Mais comme ma mère me le dit souvent, je dois m'accrocher à mon rêve…

Il y a deux ans, j'ai pensé pouvoir réaliser mon rêve. L'entraîneur de l'équipe de hockey de Timmins semblait très satisfait de mes compétences. Il me regardait jouer plus souvent que les autres joueurs, il m'encourageait énormément et il me disait ce sur quoi je devais travailler avant le prochain entraînement. Tout semblait bien aller, jusqu'à ce que j'entende la mère d'un des joueurs parler à l'entraîneur :

— Veux-tu vraiment un « p'tit Indien » dans ton équipe ? Franchement, tu sais comment ils sont : buveurs, drogués, mal élevés !

Comme prévu, quand le jour est venu, mon nom n'était ni sur un chandail, ni sur la liste des joueurs retenus. J'étais déçu. Cependant, je savais pourquoi je n'avais pas fait l'équipe. Ma mère, elle, a eu honte de moi et mon père ne m'a pas adressé la parole depuis. C'était clair, j'avais déçu mes parents. Toutefois, cela ne m'empêcha pas de jouer au hockey sur le lac gelé avec mes amis, espérant que mon rêve se réaliserait l'an prochain.

* * *

Driiiiinnnng, driiiiinnnng, driiiiinnnng…
— Allo ?
— Bonjour, c'est Jean-Michel, l'entraîneur de hockey des Jaguars d'Iroquois Falls à l'appareil. Est-ce possible de parler à Ankit ?
— C'est… C'est moi !
— Salut Ankit ! Comme je l'ai mentionné, je suis l'entraîneur de l'équipe d'Iroquois Falls. L'an passé, j'ai assisté aux sessions d'essais pour l'équipe de Timmins. J'ai vu beaucoup de potentiel et de talent sur la glace, cette semaine-là. J'ai été impressionné par un joueur qui s'est démarqué. Il paraît que

c'était toi. Malheureusement, l'an passé, mon équipe était déjà formée, mais cette année j'aimerais que tu viennes aux sessions d'essais de mon club, la semaine prochaine, ici, à Iroquois Falls.

— Êtes-vous sérieux ?

— Oui Ankit ! Tu es un joueur incroyable ! On se voit la semaine prochaine ?

— Oui ! Absolument ! Merci beaucoup !

— Bonsoir, repose-toi bien !

— Bonsoir !

* * *

Donc, la semaine suivante, je me suis rendu à Iroquois Falls. J'ai participé à toutes les sessions d'essais et j'ai fait de mon mieux. Les gars se sont moqués de moi dans la chambre des joueurs parce que j'étais un « p'tit Indien ». Ils me traitaient de toutes sortes de noms, cachaient mes choses et crachaient dans ma bouteille d'eau. Je le savais, mais je n'ai rien dit. J'avais peur qu'ils me battent, car j'étais le seul « Indien » sur place. Un jour, en fait, le dernier jour, en sortant de la douche, l'un des gars m'a fait trébucher. Je me suis effondré par terre. J'ai ressenti une douleur insupportable à l'épaule. Tout tournait autour de moi. Les gars riaient. J'ai entendu la porte claquer. Puis… le silence. Je ne voyais plus rien. Et je me suis évanoui.

À mon réveil, ma mère était là. Elle me tenait la main. Mon père était là aussi ; il regardait dehors. Je l'avais déçu encore, je le savais. Eh oui, j'étais à l'hôpital, avec une luxation à l'épaule et une légère commotion cérébrale. Eux pensaient que j'avais glissé dans la douche. Encore une fois, j'étais le seul à savoir ce qui s'était vraiment passé. Néanmoins, je n'ai pas fait l'équipe d'Iroquois Falls et j'ai réussi à frustrer mes parents, à nouveau. Un long hiver a commencé.

Pendant cet hiver-là, j'ai commencé à perdre espoir. Je ne me croyais plus capable de faire partie d'une équipe de hockey triple A. Je ne me croyais plus capable de satisfaire mes parents. Je me sentais comme un vrai « p'tit Indien ». Je réfléchissais aux actes des gars d'Iroquois Falls. Pourquoi s'étaient-ils moqués de moi ? Pourquoi m'avaient-ils taquiné ? « Bon à rien », « *Drop-out* », « Niaiseux » ; tous ces mots se répétaient dans ma tête, les uns après les autres. Peut-être qu'ils avaient raison… Je ne me sentais plus confortable dans ma peau. Je ne voulais plus être autochtone. Je me sentais seul. Mes parents ne voulaient rien savoir de moi. Et si je disparaissais ? Si je partais et ne revenais jamais ? Qu'arriverait-il ?

Après des mois et des mois de réflexion et un changement d'attitude, j'ai eu une idée pour l'an prochain. Je suis allé en parler à mes amis, afin de voir ce qu'ils en pensaient. Ils se montrèrent d'accord et prêts à m'aider. On est allé voir le maire de la ville, Kalo Pouqui, pour lui soumettre notre idée et voir si lui aussi la trouvait bonne.

– Allons-y ! dit-il.

Donc, lorsque l'hiver est arrivé de nouveau, on a commencé par faire venir une Zamboni, afin de refaire une belle glace sur le lac gelé. Ensuite, on a demandé au soudeur de la ville de nous faire des filets et à l'ébéniste de nous faire des bâtons. Et sans même qu'on le lui demande, le maire s'est porté volontaire pour être l'entraîneur. On était tous prêts, mes onze amis et moi. Oui, prêts à jouer au hockey. Prêts à jouer pour une équipe. Une vraie équipe. Une équipe qui n'a pas de préjugés envers les « p'tits Indiens ». Une équipe où l'on s'aime les uns les autres. Une équipe différente des autres.

Après seulement quelques semaines d'entraînement, nous nous sommes rendus à Sturgeon Falls afin de participer à un tournoi de hockey. Par hasard, nous devions affronter l'équipe d'Iroquois Falls et l'équipe de Timmins. J'étais nerveux, très nerveux. Le pointage des deux joutes a été très serré, mais on a réussi à les battre. La fierté et la joie que j'ai ressenties étaient incroyables !

Maintenant, j'ai dix-huit ans. J'habite encore le nord de l'Ontario, dans la réserve de Moosonee. Je fréquente l'école tous les jours. Je vais recevoir mon diplôme cet été. J'ai tellement hâte. Je joue encore au hockey sur le lac gelé l'hiver, non seulement avec mes amis, mais avec mon équipe, ma famille. Il y a quelques années, j'avais un rêve. Mais je n'osais le dire à personne. Tous les soirs, avant de m'endormir, je pense à ce rêve et à la manière dont je l'ai plus que réalisé. Ce que je voulais vraiment, c'était faire partie d'une équipe de hockey, triple A. J'ai plutôt créé ma propre équipe, ma propre patinoire et des amitiés à n'en plus finir. J'ai réussi au-delà des mes espérances, grâce aux échecs subis tout au long de mon chemin. Mais sans ces préjugés, ces malfaisants et ces gens racistes, je ne serais pas ici aujourd'hui, heureux comme je le suis. Et pour la première fois de ma vie, je suis fier d'être un « p'tit Indien ».

Lisa Drapeau
École secondaire publique l'Alliance, Iroquois Falls

Lisa Drapeau est une étudiante de seize ans qui fréquente l'école secondaire L'Alliance, à Iroquois Falls, en Ontario. Depuis son plus jeune âge, elle s'intéresse à la psychologie et au développement des différentes nations de son entourage. Elle souhaite poursuivre ses études à l'Université d'Ottawa en 2013.

ÊTRE DIFFÉRENT

La ballerine aux livres et aux cicatrices

DEUX CENT soixante-cinq ballons. Cent trente-six mauves. Cent vingt-neuf roses. Treize tables avec treize nappes, toutes magenta. Quatre-vingt-deux invités, tous venus pour Elle.

Je suis assise à la table du fond, avec Dostoïevski et un verre d'eau. Mais malgré le dilemme tentateur du Rodion de *Crime et châtiment*, je passe mon temps à observer les invités qui partagent tous le même repas : un rôti de bœuf, une salade césar et du riz. Repas modeste qui a coûté bien cher malgré sa simplicité. J'observe maman qui accueille les derniers invités, avec leurs vêtements chics et les cadeaux qu'elle pose sur la table près de la porte. Pendant un instant, je ressens du remords. Elle a travaillé si fort pour que le seizième anniversaire de sa fille aînée soit parfait. Elle a même pris la peine d'engager un DJ professionnel qui fera jouer la musique que sa fille aimait. Je devrais l'aider à accueillir au moins ces derniers invités, mais je n'arrive pas à me lever. Ils ne sont pas venus ici pour moi, malgré le fait que ce soit mon nom qui est inscrit sur les invitations. Je devrais aussi prendre place à la grande table au centre de la salle, à côté d'Antoine, mais il me semble que cette place ne m'est pas destinée.

Je suis mal à l'aise à côté d'Antoine. Ça doit être difficile pour lui d'être amoureux d'une fille qui n'existe plus, si proche mais si inaccessible, d'étudier mon visage au moins vingt-huit fois par jour sans y trouver aucune trace de ressemblance avec Elle.

L'accident a eu lieu l'été dernier. Le 24 juillet à 1 h 34 précisément. Antoine me reconduisait chez moi après le party d'Anne-Julie Miller, quand on a été percuté par une autre voiture roulant à 93 km/h dans une zone limitée à 60. Conducteur aux facultés affaiblies, apparemment. On a été touché à l'arrière et Antoine a été éjecté de notre voiture. Quant à moi, je suis restée coincée dans le véhicule qui a fait quelques tonneaux avant de prendre feu. J'ai été admise à l'urgence exactement dix-huit minutes après l'accident, pour être opérée au poumon droit, perforé par une côte brisée. Mon coma a duré soixante-neuf jours, presque assez longtemps pour réparer mes six côtes fêlées, mon épaule et mon bassin fracturés, ainsi que mes jambes cassées. Ce n'était pas assez de temps, cependant, pour guérir les brûlures tout au long du côté gauche de mon corps, jusqu'à mon visage.

Au moins, c'est ce qu'on m'a dit de l'accident. Parce qu'après être sortie du coma, je ne me souvenais plus de la vie que j'avais menée auparavant. J'ai entendu le médecin dire à ma mère que j'avais « une amnésie rétrograde, un déficit du rappel d'informations acquises avant l'épisode pathologique ». Je le sais, parce qu'il y a deux ans, j'ai lu une brochure là-dessus dans la salle d'attente du docteur. Les scientifiques disent que le cerveau humain est un appareil extraordinaire, et je suis d'accord avec eux, parce qu'après mon accident, je pouvais me rappeler tout ce que j'avais lu, tous les faits, toutes les citations, mais je n'avais aucun souvenir du prénom de la dame qui s'était occupée de moi toute ma vie.

Antoine est venu me rendre visite presque chaque soir pendant que j'étais hospitalisée. Il me jouait de la musique, me lisait mes livres préférés et me parlait, sans jamais attendre une réplique de ma part. Il était là quand j'ai repris conscience, et l'expression de joie profonde sur son visage a rapidement apaisé mon état de panique. Je ne le reconnaissais pas, mais il me rassurait. Cependant, il ne m'a pas abandonnée, motivé par notre « amour » et l'espoir qu'un jour je redeviendrais moi-même, qu'on serait heureux ensemble comme avant. Il m'a amenée faire toutes mes activités préférées : magasiner, sortir au club, faire du karaoké. Il y a mis tellement d'efforts que je n'arrivais pas à lui dire que ces choses ne m'intéressaient plus. Il s'est fâché une seule fois lorsque je lui ai demandé pourquoi il restait, malgré le fait que je ne sois plus la même Ariane. Il m'a dit que c'était parce que j'existais et que l'on s'aimait. Il fallait seulement que je m'en souvienne. C'est pourquoi j'éprouve de la pitié pour lui : il a trop d'espoir, comme ma mère.

La première chanson commence et Antoine me demande de danser avec lui. Je n'ai pas envie de danser devant tout le monde, d'être au centre des regards. Mais j'accepte finalement parce que c'est Antoine qui me le demande, parce que c'est « notre » chanson et parce que je sais qu'Elle aurait accepté.

Quand j'ai pu quitter l'hôpital, j'ai pris beaucoup de temps à me « retrouver », c'est-à-dire à apprendre ce qu'était ma vie auparavant. J'ai lu et relu mon journal, parlé avec mes plus proches amis et navigué dans « mon » compte Facebook. Mes longues heures de recherche m'ont appris que j'étais belle, profondément amoureuse d'Antoine, que j'avais aussi été acceptée à l'Académie Nationale de Ballet et que j'aurais bien aimé l'extravagance de cette fête. Rien à quoi je peux maintenant m'identifier, sauf peut-être la danse. Ces jours-ci, c'est la seule activité à laquelle je m'adonne, outre la lecture. Je la pratique chaque jour, chanceuse que ma mémoire musculaire soit encore intacte après que mes os se furent réparés! Mais on me qualifie de « douée » maintenant et non de « merveilleuse » comme avant. Ma mère essaie de me convaincre de faire encore des compétitions, mais je n'arrive pas à danser mes routines devant un public qui m'a connue. Il est vrai que j'ai toute la technique et la fluidité de mouvement d'une bonne danseuse, mais il me manque l'âme et la passion que je possédais avant.

Au centre de la piste de danse, je suis consciente que cette fête résume ma vie. J'observe tous les invités qui s'amusent autour des tables, distraits par leurs conversations insignifiantes et par la pitié qu'ils ressentent pour moi ; je croise les regards de nostalgie et de regret de ma mère et j'épie Antoine qui, le bras autour de moi, me surveille tristement. Le problème qu'ont mes amis, ma mère, Antoine et tous les autres, c'est leur optimisme. Ils demandent à Dieu pourquoi Il a pris l'Ariane qu'ils ont tous aimée, pour la remplacer par un modèle si étrange. Ils espèrent que je retrouverai ma mémoire, pour que leur vie puisse retourner à la normale, pour qu'ils oublient de penser à l'accident chaque fois que j'entre dans une pièce.

Tout ce que j'espérais depuis l'accident, c'était que les gens me reconnaissent, me comprennent. J'ai imaginé, rêvé que si, pour un instant, même le plus bref, je pouvais retrouver mes souvenirs, je serais heureuse et la vie redeviendrait simple. Maintenant, je sais que ce n'est pas possible. Je ne pourrai pas changer et je n'accepte donc pas qu'on me traite comme une déception, comme le résidu de quelque chose de fantastique, parce qu'Elle ne reviendra plus, et c'est moi qui ai pris sa place. Je ne pourrai jamais satisfaire personne, ni moi-même d'ailleurs, en essayant de rentrer dans le moule fait pour une autre. Par contre, si je m'accepte comme je suis, pour ce que je suis devenue, les autres vont finir par m'accepter aussi. Je l'espère! Il est vrai qu'il est écrit «Ariane» sur les invitations et sur le siège qui m'est assigné, mais il y a d'autres places à table, dans le monde, et je suis pas mal certaine que j'en trouverai une qui me conviendra.

Maintenant, j'ai compris ce que j'ai à faire et je crois qu'Antoine m'a comprise aussi, parce que quand je lève les beaux yeux bleus d'Ariane vers lui, il ne dit pas un mot, m'embrasse et retire sa main de mon dos. Je me retourne et me dirige vers la porte, laissant les ballons roses et mauves flotter derrière moi. Avant de quitter cette fête, cette scène, cette vie, je regarde encore derrière moi et j'aperçois ma mère et Antoine qui voient la ballerine aux livres et aux cicatrices partir pour trouver son propre chemin dans le monde.

Eleni Kolovos
École secondaire Étienne-Brûlé, Toronto

Eleni est heureuse seulement lorsqu'elle est débordée de travail. Que ce soit dans les sports, le conseil des élèves, le théâtre, la radio étudiante ou la danse grecque, elle adore être impliquée au sein de sa communauté. Ses grandes passions sont le féminisme, la mode et Cyrano de Bergerac!

Naomi

L ORSQUE NAOMI se regarde dans le miroir, elle se trouve différente des jeunes filles de son âge. Elle est unique, car son cheminement est loin d'être semblable à celui des autres. Être unique ou distinct, c'est ce qui place un individu à part des autres. Elle n'est pas ordinaire et elle s'en est rendu compte en bas âge. Plus tard, lorsqu'elle aura grandi et qu'elle aura pris de la maturité, sa différence va l'avantager bien plus qu'elle ne peut se l'imaginer.

Naomi a changé ma vision de la vie, elle m'a fait réaliser que, peu importe l'apparence des gens, seule la personnalité, c'est-à-dire ce qu'il y a à l'intérieur d'une personne, est important. Ce qui compte vraiment est son caractère, son tempérament ainsi que son attitude face à diverses situations. Naomi est unique en son genre, elle fait preuve de courage chaque jour qui se présente, notamment lorsqu'elle entre dans un lieu public où les gens sont portés à la juger sans même la connaître. Moi, sa chirurgienne, j'hésite aujourd'hui et j'ai hâte à la fois de pousser cette porte devant moi.

Laissez-moi vous raconter son histoire. Au tout début, dès sa conception dans le ventre de sa mère, Naomi a dû faire face à plusieurs difficultés. Sa mère consommait de la cocaïne de façon abusive, avant et pendant sa grossesse. Les effets de cette drogue sont tout aussi néfastes pour le fœtus que pour le consommateur. Si la cocaïne a pour effet d'intervenir dans le développement normal de l'enfant, elle peut avoir plusieurs autres conséquences telles que des malformations, des retards de croissance et des accidents vasculaires. Eh oui, la mère de Naomi avait pris des décisions qui hanteraient son enfant pour le reste de sa vie. L'usage de cocaïne durant sa grossesse a perturbé la croissance du fœtus et a eu pour contrecoup d'affecter le développement de tout le côté droit du corps du bébé.

On ne choisit pas nos parents, ni la famille dans laquelle on grandit. Il y a parfois des choses que l'on ne peut contrôler, qui sont hors de notre portée. Ainsi, la mère cocaïnomane de Naomi ne pouvait s'occuper convenablement de sa propre enfant. De plus, ce bébé demandait considérablement plus de soins qu'un autre. Bien entendu, elle a été mise en adoption dès l'âge de quatre mois. Elle s'est retrouvée dans une famille d'accueil qui a su prendre soin d'elle. En effet, cette famille d'accueil s'est tellement attachée à ce petit être vulnérable qu'elle n'a pu faire autrement que de l'adopter légalement, à l'âge de quatre ans. Naomi n'a pas demandé à être dans cette situation, mais elle doit vivre avec les conséquences des actes de sa mère. Cela dit, la petite Naomi a commencé sa propre vie en devant faire face à des obstacles qu'elle surmontera de façon surprenante.

Pour la famille qui l'a vu grandir, ce bébé à l'aspect différent des autres est exceptionnel et le restera probablement toute sa vie. Pour tout dire, elle n'aura peut-être pas l'apparence physique la plus parfaite, mais elle aura une personnalité des plus remarquables, grâce à tout le bagage qu'elle porte en elle.

Aujourd'hui, cette jeune fille est âgée de quatorze ans et elle semble mener une vie des plus ordinaires. Mais ne vous trompez pas, elle a dû subir diverses interventions chirurgicales qui lui ont demandé beaucoup de courage. Elle a fait face à sept opérations. La première a eu lieu à l'âge de cinq mois pour une réparation de la fissure labiale ainsi que la reconstruction de la narine. La deuxième s'est produite à l'âge d'un an pour la réparation de la fissure palatine. Puis, la troisième s'est déroulée à l'âge de deux ans pour une greffe de cornée à l'œil droit. Par la suite, il y a eu une reconstruction de la paupière gauche à deux reprises, l'installation d'un tube dans l'oreille ainsi que l'ablation des amygdales.

J'ai rencontré Naomi lorsqu'elle avait onze ans, alors qu'elle devait subir la première étape de la reconstitution de son oreille gauche. Nous devions lui prélever un morceau d'os venant des côtes et aussi procéder à une greffe prélevant de la peau de son bras, pour lui reconstruire une oreille externe. C'est aujourd'hui, trois ans plus tard, qu'elle a subi la deuxième étape de la reconstruction de son oreille, y compris un nouveau prélèvement osseux.

Lorsque j'ai fait la connaissance de cette enfant, on m'avait prévenue qu'elle était différente des autres et recommandé de ne pas m'attarder à son physique. Car de plus en plus, nous sommes portés à poser un regard rapide sur une personne et à la juger d'après ce que l'on peut voir d'elle. Grâce à mon métier, j'ai appris au fil des années que l'empathie est une belle qualité à détenir. Ce jour-là, il y a environ trois ans, cette jeune fille a marqué ma vie à jamais. Plus tard, lorsque que j'ai entendu le récit de sa vie, j'ai tout de suite su qu'elle avait vécu des choses que personne d'autre ne pouvait comprendre. Elle avait du courage et était une jeune fille très forte, tant physiquement que mentalement. Je l'ai vue grandir et se bâtir en tant que personne, développer son caractère et ses expériences de vie.

Naomi continue de grandir et de devenir femme. Oui, j'ai hâte de franchir le seuil de sa chambre et de la retrouver. L'opération s'est bien déroulée et elle vient de se réveiller. En entrant, je pose mon regard sur elle. Ma patiente a la tête entourée de bandages, mais elle ne souffre pas. Elle a de grands yeux brillants, qui reflètent sa joie de vivre. Je ne l'ai jamais vue aussi fière qu'au moment où, doucement, je lui retire son pansement pour qu'elle puisse voir son oreille gauche. Elle voulait tant ressembler aux autres filles et être belle. Mais j'espère qu'aujourd'hui, elle se rend compte qu'en fait, c'est elle la plus belle jeune fille qu'il m'ait été donné de rencontrer.

Camille Ferland
École secondaire publique Le Sommet, Hawkesbury

Jeune fille très active, Camille est passionnée de sport. Cependant, quand elle ne s'entraîne pas, vous pourrez la retrouver devant un bon roman ! Issue d'une petite ville, sa famille a su lui transmettre des valeurs humanitaires qui sont très ancrées en elle, comme le respect et l'ouverture d'esprit.

Les yeux du cœur

ASSIS EN CLASSE de français, j'attends impatiemment que le cours se termine. J'estime qu'il doit rester 20 minutes. Je dois surtout me concentrer et bien écouter ce que dit l'enseignante. On ne me traite pas comme les autres. Peut-être est-ce parce que mon style d'apprentissage est différent, puisque pour moi, tout passe par l'ouïe. Quand on pense au mot aveugle, on pense à une personne privée de ses yeux. Pourtant, j'ai deux yeux comme tout le monde, la seule différence est que je ne peux m'en servir.

La cloche sonne, je dois attendre que tous les élèves sortent de la classe avant de partir, pour éviter de trébucher. J'attends, assis à mon bureau, pendant ce qui me semble être une éternité. Je tends l'oreille vers la porte. Silence. Ceci me confirme que les couloirs sont vides et que je peux maintenant sortir de la classe. Je prends ma canne blanche, toujours sous ma chaise, et me dirige vers la cafétéria. J'utilise cette canne pour marcher, mais je peux me déplacer sans elle. Je connais l'école par cœur. Aussitôt que je sors de mon cours de français, je tourne vers la droite, ensuite, je dois faire dix-sept pas avant de pouvoir tourner vers la droite encore. Je fais cinquante-huit pas et je monte douze marches. Je tourne vers la gauche, fais treize pas et me voilà arrivé. J'ai mémorisé les itinéraires que j'emprunte, afin de pouvoir m'orienter même si un jour je perds ma canne.

Je n'ai pas toujours été aveugle. Lorsque j'étais en 6e année, chaque jour après l'école, j'allais rendre visite à ma grand-mère qui habitait à dix minutes de marche. Je préférais les journées chaudes, quand le soleil brillait de tous ses feux. J'aimais les étonnantes couleurs du paysage, les feuilles vertes, le ciel bleu et les petits nuages blancs qui dansaient dans le ciel. Autant les journées ensoleillées me plaisaient, autant les journées de pluie me détendaient. Chaque goutte qui frappait le sol avait son propre rythme. D'habitude, par temps pluvieux, je marchais plus lentement, je prenais le temps d'apprécier ce que les autres se dépêchaient d'éviter. Mais cette journée-là, la pluie qui tombait était si froide et les rues étaient si bondées que je m'étais pressé. C'est la journée que je ne cesserai de regretter pour le restant de ma vie. Si j'avais su prendre mon temps, peut-être aurais-je pu éviter la voiture qui m'a happé… Maintenant tout est noir.

Je me retrouve dans la cafétéria et je peux facilement deviner ce qui m'entoure. Même si je suis aveugle, les gens doivent comprendre que je ne suis pas sourd. J'ai l'ouïe cent fois plus développée que n'importe qui. Je sens qu'on parle de moi et je sais qu'on me regarde. On ne peut jamais s'habituer à un aveugle, si on ne fait pas l'effort de le connaître. Je me sens seul et personne ne peut me comprendre. Parfois, j'entends les gens qui disent qu'ils ont de l'empathie pour moi. Mais ils ne sauront jamais toutes les misères que je dois vivre tous les jours. Seule une personne aveugle peut s'en douter. Je dois faire deux fois plus d'efforts et consacrer le double de temps pour être au même niveau que vous. Je dois avouer que j'ai refusé toute aide qui m'a été offerte après mon accident. On me dit que je me suis détaché du monde. Je suis fâché contre le monde et je n'accepterai jamais le fait d'être aveugle.

J'avais tellement de potentiel. Les gens autour de moi avaient de grandes ambitions pour moi, que ce soit pour le sport, les cours académiques ou les loisirs culturels. On ne cessait de dire que mon avenir était dessiné dans le ciel… maintenant je me sens au plus bas de ma vie. Par contre, je sais que je ne dois jamais lâcher et toujours foncer. Cette épreuve me fera grandir, me redonnera des ailes pour accomplir tout ce que je veux, mais à mon propre rythme. Je dois tout d'abord, d'après les dires, accepter mon sort… ça viendra un jour.

« Votre fils ne pourra plus jamais voir. » Ces mots résonneront toujours dans ma tête. Un jour, je raconterai mon histoire. Je parlerai sans doute de mes parents qui n'ont jamais partagé leurs émotions et avec qui je n'ai pas encore abordé la question de mon avenir. Est-ce qu'ils y ont même songé, à mon avenir ? Je parlerai du chien guide qui m'a été assigné, qui s'est joint à notre famille, même si mes parents ne voulaient pas d'animaux dans la maison. Pendant longtemps, mon chien guide a été bien plus que mes yeux : il était mon confident, mon ami. Il ressentait mes émotions et je pense même qu'il les partageait avec moi. Il avait cette façon de déposer sa petite tête sur mes genoux, ce qui me rassurait.

Le plus difficile pour moi est de m'habituer à cette noirceur, après avoir connu toutes les couleurs de l'arc-en-ciel. Même si je tente de me concentrer pour me souvenir du bleu du ciel ou du vert des feuilles, tout ce que je vois est noir! Tranquillement, j'essaie d'apprivoiser cette absence de lumière. M'habituer à ma canne n'a pas été facile non plus. Il était difficile pour moi de me souvenir de l'endroit où je l'avais laissée. Ce sont des petits trucs, comme de toujours placer ma canne sous ma chaise ou de la garder près de moi à ma droite, qui m'ont aidé le plus. J'ai dû apprendre à faire confiance à mon chien guide pour qu'il puisse me diriger. Les deux premières années suivant l'accident ont été les années les plus pénibles de ma vie. Mais je suis fier de dire que je peux aujourd'hui en faire autant sinon plus qu'avant. Mes autres sens se sont développés à l'extrême, mon ouïe, mon odorat et mon sens du toucher. Je me débrouille bien, je peux différencier un objet d'un autre en le manipulant, je peux apprendre n'importe quel instrument de musique grâce à mon oreille et j'utilise mon odorat pour appréhender l'environnement et même pour reconnaître les personnes autour de moi. Je peux deviner les repas qui mijotent le soir en revenant de l'école. Je sais maintenant si ma mère porte un pantalon ou une jupe : sa façon de marcher est différente, ses pas ne sont pas les mêmes. Je l'entends même sourire quand, le matin, je m'amuse à deviner comment elle est habillée.

Aujourd'hui, la vie continue ou plutôt, ma vie continue. Je fais beaucoup d'efforts pour accepter ma situation ainsi que l'aide que les gens m'offrent. Ce n'est pas toujours facile, car je veux tellement démontrer que je suis indépendant et que je peux tout faire moi-même, mais il y a des fois ou des jours où c'est plus difficile.

Il y a certainement une leçon de la vie que j'ai apprise grâce à cette épreuve. Vous, vous avez la chance de voir les gens autour de vous ; vous distinguez leur apparence, leur taille, la couleur de leurs cheveux, les vêtements qu'ils portent. Vous les voyez avec les yeux de votre tête. Vos yeux peuvent vous mener à juger les autres sans les connaître. Moi, je vois avec les yeux du cœur. Je ne sais pas si la personne devant moi est petite ou grosse, si elle est bien coiffée ou si ces vêtements sont défraîchis... mais je la vois dans ce qu'elle me dit, ce qu'elle me raconte. J'entends l'harmonie de ses paroles, je sens sa colère, sa peur ou son enchantement. Depuis mon accident, je me rappelle sans cesse les paroles d'une chanson que mon père turlutait quand j'étais tout jeune... Cette chanson me touche, me donne la force de continuer.

Aujourd'hui je vois la vie
Avec les yeux du cœur
J'suis plus sensible à l'invisible
À tout ce qu'il y a à l'intérieur
Aujourd'hui je vois la vie

Avec les yeux du cœur
Les yeux du cœur

Mélissa Bergeron
École secondaire catholique de Casselman

Mélissa est née le 19 novembre 1995, à Saint-Albert, en Ontario. Elle a fréquenté l'école primaire de Saint-Albert et l'Académie de la Seigneurie à Casselman. Présentement, elle étudie à l'École secondaire catholique de Casselman. Elle travaille à temps partiel comme caissière au supermarché du village. Elle prévoit entreprendre des études universitaires en sciences de la santé, plus précisément en médecine, car elle aimerait devenir cardiologue.

Les lettres anonymes

D EPUIS QUE je suis toute petite, je sais que ma famille est
différente des autres. J'ai toujours été entourée de plusieurs personnes qui m'encouragent dans chaque décision
que je prends. On se parle de tout et l'on s'aime incondition-
nellement. Cependant, nous sommes passés à travers des
temps difficiles et nous avons surmonté plusieurs obstacles.
Je m'appelle Annie, je suis l'aînée de plusieurs enfants et
voici mon histoire...

* * *

Ma mère Angèle s'est mariée à Robert lorsqu'elle était
enceinte de moi. Pourtant, après mon deuxième anniversaire, Robert a épousé deux autres femmes qui s'appellent
Gabrielle et Émilie. Depuis ce jour, j'ai eu plusieurs nouveaux
frères et sœurs à chaque année. Mais je n'ai pas toujours
aimé le fait d'avoir une famille plus grande que la normale,
avec plusieurs mères. À l'école élémentaire, les élèves de ma
classe riaient lorsque je parlais de ma famille et se moquaient
tout le temps de moi. Par conséquent, il a fallu que je change
souvent d'école. Quand j'ai été assez vieille pour comprendre, mes parents m'ont expliqué ce qui se passait dans la

famille. Nous étions considérés comme étant une famille polygame, ce qui veut dire que le père est marié à plus d'une femme. La polygamie n'est pas légale aux États-Unis, comme dans beaucoup d'autre pays occidentaux, et c'est la raison pour laquelle nous avons dû déménager souvent.

* * *

C'était le mois de septembre et la deuxième fois que nous déménagions cette année-là. Je commençais ma 12e année à l'école secondaire St. Gabrielle, au Nevada, l'un des rares états où la cohabitation entre un homme et plusieurs femmes n'est pas un crime à proprement parler. Mes deux frères, mes trois sœurs et moi avons tous fait notre entrée à l'école ensemble.

— La famille Arsenault est demandée au secrétariat, annonça une voix à l'interphone.

Nous avons marché dans les couloirs sombres et austères, jusqu'au bureau du directeur, M. Hanlis.

— Bienvenue à l'école St. Gabrielle, dit-il, vous allez bien aimer faire vos études secondaires ici, je vous le garantis!

— Merci, M. Hanlis, nous sommes excités de commencer, répliquai-je.

Il nous a montré nos salles de classe et nous a fait faire un petit tour de l'école. J'ai rencontré trois filles, toutes inscrites aux mêmes cours que moi. Elles se nomment Natalie, Rachelle et Sophie. Elles sont meilleures amies depuis l'école élémentaire. En effet, elles ne parlent à personne d'autre dans l'école. Cependant, elles m'ont aidée pendant les premiers jours à m'habituer à la nouvelle routine et j'ai commencé à penser que je pourrais devenir leur amie. Mais je me suis demandé si elles m'accepteraient quand même, en sachant que je vivais dans une famille polygame...

— Comment s'est passée ta première semaine d'école, demanda ma mère Angèle.

— Ça s'est bien passé, répliquai-je.

— Tu te tiens beaucoup avec ces trois filles, Natalie, Rachelle et Sophie ?

— Oui.

— Elles semblent gentilles, tu devrais peut-être leur demander si elles veulent venir ici un soir de fin de semaine !

— Ma ! C'est seulement la première semaine d'école et puis je ne sais même pas si elles me considèrent comme leur amie !

— Qu'est-ce que tu veux dire par cela ? demanda Angèle, d'un air surpris.

— J'aime notre famille... Mais, pourquoi est-ce qu'on doit être différent des autres ? J'ai peur de me retrouver dans la même situation qu'avant, dans les autres écoles.

— Tu ne devrais pas te laisser troubler par ce qui s'est passé dans les autres écoles. Ces filles-là semblent gentilles et ont l'air de te considérer comme leur amie. Si tu veux, tu pourrais les inviter ici pour vous préparer pour la danse d'Halloween qui aura lieu dans quelques semaines. Tu verras ce qu'elles ont à dire. Ne t'inquiète pas, ça va aller.

— J'espère...

*   *   *

La semaine avant la danse d'Halloween de l'école, nous sommes allées magasiner entre amies pour nous trouver des costumes.

– Annie, combien de frères et sœurs as-tu ? me demanda Rachelle.

– Oui, tu ne nous as jamais répondu ! s'exclama Natalie.

J'évitais toujours les questions qu'elles me posaient à propos de ma famille. Cependant, j'ai repensé à ce que ma mère m'avait dit et je me suis sentie mal de garder le secret, d'avoir honte de ma famille.

– Humm, j'en ai 14 ! avouai-je.

– Wow... 14 ? répondit Sophie.

– Oui, je voulais vous le dire avant, mais j'avais peur... Alors, qu'est-ce que vous en pensez ?

– 14 frères et sœurs, ça ne me dérange pas... affirma Rachelle, inquiète.

– Nous autres aussi ! répliquèrent Sophie et Natalie, en souriant.

– D'accord. Aimeriez-vous vous préparer pour la danse chez moi, jeudi prochain et rencontrer ma famille ?

– Oui ça m'intéresse de voir ta famille, répondit Rachelle.

– C'est parfait ! s'exclamèrent Sophie et Natalie, en regardant Rachelle.

J'étais très inquiète à partir de ce jour-là. Je ne leur avais pas tout expliqué au sujet de ma famille, mais j'espérais que tout irait bien.

La semaine passa vite. J'étais tellement nerveuse de recevoir mes amies chez moi. J'avais pris le temps de réfléchir et avais réalisé que même si ma famille était différente des autres, nous étions en réalité une famille ouverte et aimante. J'adore ma famille. Enfin, je me disais que si les autres ne pouvaient nous accepter, je ne devais pas perdre mon temps avec eux.

Le jeudi arriva enfin. Après l'école, nous sommes allées directement chez moi.

– Avant que vous n'entriez, je voulais vous expliquer que ma famille est un peu différente de la vôtre. Mais on s'aime comme une famille normale et si vous ne pouvez pas l'accepter, je vous invite à partir, leur dis-je.

– Humm, d'accord… répliqua Rachelle.

Quand elles sont entrées, elles ont vu mes parents dans la cuisine.

– Voici mes mères, les épouses de mon père.

Leurs visages ont tout dit. Elles se sont regardées et se sont mises à rire.

– Hahahaha! s'exclama Rachelle, est-ce une blague?

– Non, ce n'est pas une blague. Si vous ne pouvez pas l'accepter, allez-vous-en.

Elles ont recommencé à rire encore plus fort et sont parties. La nuit passa, j'avais décidé de ne pas aller à la danse. Nous avons passé la soirée en famille, à regarder des films.

Le lendemain, en arrivant à l'école, toutes les têtes se sont tournées vers mes frères, mes sœurs et moi. Nous avons entendu des gens rire lorsqu'on passait. Quand j'ai ouvert mon casier, plusieurs notes et papiers sont tombés. J'en ai pris quelques-uns et je les ai lus : « Combien de femmes faut-il pour garder un homme heureux… 3 ? », « C'est même pas légal ! Retournez d'où vous venez ! » J'en eus assez de ces lettres anonymes et je décidai que je ne supporterais plus cette sorte d'intimidation. J'ai tout lâché et je suis allée directement au secrétariat pour parler au directeur.

– M. Hanlis! m'exclamai-je. Est-ce que je pourrais faire une annonce à l'interphone ? Les élèves de l'école me font de l'intimidation et je n'en peux plus !

– Tu as des problèmes à cause de ta famille ? me demanda-t-il.

– Oui, j'ai toujours eu des problèmes parce qu'on est différents et je veux mettre un terme à tout ceci avant de devoir encore déménager! lui expliquai-je.

Il prit l'interphone et dit:

– Ceci est une annonce importante que tout le monde doit entendre. Alors, rentrez en salle de classe maintenant et gardez le silence!

Il me donna l'interphone et j'attendis quelques secondes avant de commencer.

– Bonjour. Pour ceux qui ne me connaissent pas, je m'appelle Annie. Je suis une nouvelle étudiante ici à l'école. Il y a des rumeurs qui circulent au sujet de ma famille. La plupart sont vraies. Oui, j'ai 14 frères et sœurs, et j'ai aussi trois mères et un père. Mais ce que vous ne savez pas à notre sujet, c'est que nous avons déménagé plusieurs fois cette année à cause de problèmes d'intimidation. Notre famille est passée à travers plusieurs obstacles. Cependant, nous surmontons ces obstacles et les problèmes ensemble parce qu'on s'aime comme on est. Chez nous, tout le monde s'accepte et se soutient. Il me semble que nous ne sommes pas tellement différents de vous. Alors je vous demande de réfléchir avant de nous juger et de nous envoyer des lettres anonymes, car vous ne comprenez pas vraiment ce que nous vivons et vous ne nous connaissez pas. Merci.

M. Hanlis prit l'interphone et sourit. Je suis retournée en salle de classe cette journée-là et j'ai rencontré une nouvelle amie, Tina.

Depuis ce jour, l'école Saint-Gabrielle est une école sans intimidation. J'ai enfin reçu mon diplôme d'études secondaires, après avoir changé les choses dans mon école. On s'y souviendra de moi.

Kristy Robbins
École secondaire catholique Jean-Vanier, Welland

Kristy est en 12ᵉ année à l'École secondaire catholique Jean-Vanier, à Welland. Elle a l'honneur d'annoncer qu'elle vit sa toute première expérience dans le monde de l'édition et elle est très fière de voir son texte publié! Elle souhaite que vous appréciez la lecture de son récit identitaire.

SEXE ET IDENTITÉ

Le jour et la nuit

QUATRE MILLE trois cent quatre-vingt-onze jours d'espérance. J'avais attendu ce moment avec impatience depuis le jour où j'étais née. J'attendais de me faire écouter, dorloter et aimer depuis mon premier souffle, le jour où avait commencé ce long périple qu'est la vie. Pendant longtemps, un vide, un sentiment de solitude m'avait habitée. Plus jeune, je ne m'étais jamais vraiment attardée sur le fait que mes parents biologiques ne m'avaient pas désirée et m'avaient abandonnée dès ma venue au monde. Depuis ma naissance, ma seule vraie maison avait été l'orphelinat dans le village de Kodinji, en Inde.

À présent, je suis dans l'avion qui m'emmène au Canada, pays dont j'ignorais l'existence jusqu'au jour où mon infirmière m'en a parlé, il y a deux semaines. Un vide en moi s'est rempli depuis qu'on m'a annoncé que j'allais être adoptée par de jeunes parents canadiens. Un sourire est désormais tatoué sur mon visage et un nouveau sentiment de bonheur fragile s'est installé en moi. Rares étaient les fois où je ne m'étais pas sentie rejetée lorsque des parents venaient chercher d'autres enfants comme moi, orphelins et seuls au monde. À présent, c'est à mon tour d'être choisie. Moi, Darakshane, petite fille de douze ans originaire de l'Inde. Je vais enfin vivre dans une vraie famille. J'ai hâte et je suis terrorisée à la fois.

La vie dans un orphelinat ne ressemble aucunement à la vie en famille, m'a expliqué l'infirmière ce matin. À ma droite, j'ai mon papa adoptif qui me regarde, le regard pétillant de bonheur, tandis que de l'autre côté ma maman pleure de joie. Tous les deux m'ont fait comprendre la raison pour laquelle je me retrouve désormais avec de nouveaux parents. Maman et papa ont eu trois beaux enfants au cours des dernières années. Récemment, ma nouvelle mère a tenté de retomber enceinte. Malheureusement, cette nouvelle aventure n'a pas pris l'allure qu'ils avaient souhaitée. C'est alors que mon père et ma mère ont décidé d'adopter un enfant, peu importe son âge ou sa nationalité. Après avoir visité quelques orphelinats indiens, ils ont fait leur choix. Je suis celle qui a conquis leur cœur. Je suis désormais une petite fille heureuse qui se sent redevenir vivante. La vie me sourit à nouveau et j'ai l'impression d'avoir une deuxième chance.

En atterrissant à l'aéroport, j'ai l'impression qu'il s'agit réellement d'un nouveau départ. Tant de choses m'effraient, mais je dois rester positive. Je vais me faire de nouveaux amis et bientôt j'aurai trois nouveaux frères avec qui rire, m'amuser et parfois même, me chicaner. Mes nouveaux parents semblent très gentils et surtout très aimants. En sortant de l'avion, je fais un souhait. J'espère de tout cœur que la vie ne va plus jamais me décevoir. Après une semaine passée dans mon nouveau pays, ma nouvelle famille et ma nouvelle maison, je prends conscience de plusieurs choses. Non seulement m'étais-je trompée sur l'identité de mes frères, mais je m'étais également trompée sur tout le reste.

En ouvrant la porte de ma nouvelle demeure, j'ai eu une grande surprise. Deux filles qui semblaient être un peu plus âgées que moi et une autre un peu plus jeune m'ont bombardée de salutations et de mots de bienvenue. Celle qui a 13 ans, à peine un an de plus que moi, s'appelle Laurie-Ann, tandis qu'Amélie est âgée de 15 ans. Finalement la cadette de la famille, Myriam, a 7 ans. Je suis devenue complètement bouche bée en les voyant, debout devant moi. Lorsque maman et papa m'avaient parlé de leurs trois beaux enfants, j'avais aussitôt pensé que j'aurais bientôt trois grands frères, aimables, mais sûrement indépendants. Vivre avec trois sœurs ne me gêne aucunement. Au contraire, j'en ai été ravie, seulement j'avais peine à y croire.

À l'école, la surprise a été la même. Tant de petites filles de mon âge m'entouraient. Je n'y comprenais rien. Ma nouvelle amie, Sophia, m'a elle-même confié qu'elle aussi a trois sœurs. J'ai eu de la difficulté à le croire. Comment était-ce possible ? Tout le monde dans ma classe semble soit faire partie d'une grande famille, soit avoir une ou plusieurs sœurs. Je me suis sentie tellement désorientée et pas au bon endroit. Ma couleur de peau, si différente de celle des autres enfants, m'angoissait. Encore aujourd'hui, j'ai peur d'être rejetée en raison de ma différence. En Inde, tous les autres enfants parlaient la même langue et avaient la même couleur de peau que moi. Ici, je me sens comme le vilain petit canard. J'ai l'impression de m'être trompée d'endroit. Qui suis-je réellement ? Je sens que je ne fais pas partie de leur groupe. Heureusement que mon français s'améliore de jour en jour. Me faire comprendre par mes camarades de classe est devenu un peu plus facile et moins exigeant. J'ai compris que la vie est une série d'épreuves, certaines surmontables, d'autres non. Un jour peut-être, j'arriverai à m'habituer à tous ces changements, à tous ces regards qui se posent sur moi, quotidiennement.

L'Inde, mon pays d'origine, ne m'avait aucunement habituée à tout cela. Là-bas, où mes racines demeurent pour toujours, les filles se faisaient rares. Ici, les petites filles de mon âge, pleines de vie et à la peau blanche, se rencontrent partout. Il y en a autant que de garçons. Cependant, elles ne sont pas comme celles d'où je viens. Leurs yeux reflètent le bonheur et l'insouciance. Pour moi, tout est différent. À l'orphelinat, où je vivais depuis ma naissance, l'infirmière ne pouvait m'expliquer pourquoi mes parents biologiques m'avaient abandonnée. Plus jeune, je n'avais jamais compris pourquoi nous n'étions que des filles dans cet orphelinat situé dans une région rurale, minable et éloignée du cœur de l'Inde. Parfois, c'est mieux d'ignorer quelque chose que de connaître la vérité. L'infirmière me répétait souvent ces mots-là. Aujourd'hui, je suis de plus en plus d'accord avec elle. J'ai compris pourquoi mes parents m'avaient quittée. Je leur en veux, mais d'un autre côté j'essaie d'oublier. Certaines personnes disent que le bonheur est dans l'oubli et je dirais que je suis également de cet avis. Par contre, oublier son passé n'est pas quelque chose de si facile. Il m'arrive souvent de penser à mes parents. J'essaie d'imaginer quelle aurait été ma vie avec eux et je me demande si j'aurais été différente aujourd'hui. Mes parents, comme des milliers d'autres, agissaient sous le contrôle des autorités. En Inde, en Chine et dans d'autres pays asiatiques, des vieux préjugés font de l'arrivée d'une fille une honte pour la famille. Dans mon pays, la somme d'argent nécessaire pour le mariage d'une fille est considérée comme un tel problème que plusieurs préfèrent l'éviter. Depuis l'arrivée de l'échographie, il y a quelques décennies, plusieurs millions de fœtus féminins sont avortés chaque année. Des milliers de petites filles sont également abandonnées dans des orphelinats. Telle a été mon histoire, il y a 12 ans et quelques poussières. La vie est parfois drôlement faite.

Après à peine trois semaines, je peux dire que la vie ici, au Canada, me plaît bien. Par contre, je dois admettre que je me sens déracinée de temps à autre. Au fil des mois, je vais sûrement m'habituer, à sa culture, à son mode de vie, ainsi qu'aux langues qu'on y parle, du moins je l'espère. J'aime beaucoup les membres de ma nouvelle famille. À présent, l'avenir ne m'effraie plus autant. J'ai appris tant de choses sur moi. Au souper ce soir, je les ai longuement observés un par un et j'ai réalisé que chacun d'eux a beaucoup à m'apprendre et que mon adaptation est loin d'être terminée. Elle ne fait que commencer. L'Inde et le Canada sont deux pays complètement différents. Leurs deux cultures, si différentes l'une de l'autre, m'empêchent parfois de me sentir chez moi, ici. Elles sont comme le jour et la nuit, comme moi, la brune, et mon amie Sophia, si pâle.

Marie-Laure Chagnon Larose
École secondaire catholique régionale de Hawkesbury

Élève en 11ᵉ année, Marie-Laure s'est découvert tout récemment une passion pour la lecture. Un stress dans sa vie? Son inscription à l'université qu'elle fera l'automne prochain. Marie-Laure s'arrache les cheveux seulement qu'à y penser. Bref, elle est une étudiante studieuse, énergique, amoureuse du volley-ball et du badminton.

Tout n'est pas que religion

J E NE COMPRENAIS plus rien. La confusion s'était emparée de moi. Elle devenait un prédateur, j'étais sa proie. Un sentiment nouveau prenait forme dans mon esprit, dans mon être et dans mon âme. Pourquoi ce sentiment à la fois si étrange et puissant m'envahissait-il ? Je ne voulais pas y croire. Je ne le pouvais tout simplement pas. Quelles étaient les probabilités que cela m'arrive ? Pourtant, ce sentiment complexe était bel et bien ancré dans mon cœur. Que pouvais-je y faire ?

J'ai repris le contrôle de mes pensées avant que ces dernières ne s'égarent davantage. Ensuite, je me suis calmé et j'ai ouvert les yeux. Les gens étaient tous agenouillés sur de petits tapis et se prosternaient dans ce lieu de culte. J'étais moi aussi en train de prier. Alors, pourquoi pensais-je à lui en ce moment même ? En quoi cette journée était-elle différente des autres ? Je fréquentais ce lieu tous les jours, cinq fois par jour, depuis longtemps déjà. Ma tâche était de me concentrer sur la prière, ce qui, bien entendu, n'était pas aisé, puisque je pensais constamment à lui.

Quelques instants plus tard, le temps de la prière s'était entièrement écoulé. Je me suis levé et je suis sorti de la mosquée. J'ai ensuite emprunté la route vers chez moi. Ma famille devait également être en chemin, mais ne la trouvant plus parmi la foule, j'ai décidé de marcher seul. Des pensées troublantes envahirent à nouveau mon esprit. Le questionnement ne cessait plus. Je ne pouvais plus le nier ; j'étais amoureux.

En ouvrant la porte de la maison, j'aperçus mon père qui me regardait d'un air bizarre. Il avait, bien évidemment, atteint notre demeure avant moi. Il s'avança tranquillement et me demanda :

— Comment se fait-il que tu sois en retard ?

— J'ai été distrait et je me suis trompé de route.

— Toi, distrait ? Quelle surprise ! me répondit-il, sarcastiquement.

Humilié, j'ai préféré garder le silence. Mon seul mouvement fut de relever la tête pour le regarder dans les yeux. Il faut croire que mon regard dissimulait mal mon inquiétude et semblait vouloir lui dévoiler un secret bien enfoui, un secret expliquant mon insécurité. Mon père le perçut et, l'air inquiet, me posa la question suivante :

— Que se passe-t-il ? J'ai remarqué que tu étais préoccupé. Puis-je savoir ce qui te tracasse autant ?

J'avais bien trop peur à ce moment-là de lui avouer la vérité. Je n'étais pas prêt à en subir les conséquences. Alors, j'ai simplement mordu ma lèvre inférieure, détourné les yeux et j'ai chuchoté d'un ton un peu trop évasif, quelque chose du genre :

— Euh... Non... Non, ça va.

Puis, j'adoptai un comportement plus confiant et je me dirigeai vers ma chambre en prétendant devoir étudier avant un examen. Les yeux toujours fixés sur moi et l'air peu convaincu, mon père me regarda m'éloigner. Mais il n'ajouta rien.

Arrivé dans ma chambre, je refermai la porte et m'assis sur mon lit. Je devais réfléchir à un moyen d'apaiser les craintes de mon père, à tout le moins lui fournir de fausses pistes afin de conserver mon secret. Comment s'était-il aperçu que quelque chose n'allait pas ? Je croyais pourtant que mon désarroi était passé inaperçu. Il faut croire que mon père me connaissait mieux que je ne l'aurais cru.

Toc ! Toc ! Toc !

Je laissai échapper un grand soupir. Instinctivement, je savais que c'était mon père qui cognait. Il voulait avoir des réponses à ses questions. Je devais faire vite pour trouver une histoire crédible à lui raconter. Je m'empressai de prendre mon manuel de chimie, laissé à la traîne à côté de mon lit, et dis à mon père d'entrer. Je lui demandai si notre discussion pouvait attendre, puisque je devais étudier. J'ajoutai aussitôt que je n'étais pas bien préparé en vue de l'examen.

— As-tu vraiment un test bientôt ? me demanda-t-il, en arquant le sourcil.

En ne laissant rien paraître, mais tout de même agacé qu'il tienne résolument à percer mon secret, je lui répondis :

— Oui, j'ai un examen de chimie cette semaine.

Cette information n'était pas fausse.

— Ton livre de chimie est à l'envers, ajouta-t-il.

Effectivement, en baissant les yeux sur mon manuel, je vis qu'il avait raison. Je fermai les yeux à la recherche d'un peu de cran ; de courage peut-être emmagasiné et enfoui profondément en moi. Puis, j'inspirai longuement. Mon père referma la porte derrière lui, il s'approcha de moi et me demanda de lui dire la vérité. J'étais terrifié. Je ne savais plus quoi faire. Je me sentais incapable de tout lui dire. C'était quelque chose d'impensable pour moi et bien au-delà de mes forces. J'avais terriblement honte de mes sentiments. Malgré tout, devant l'insistance de mon père, je pris mon courage à deux mains et lui racontai ce qui m'arrivait. La stricte vérité sortit de ma bouche.

*   *   *

Quelques jours plus tard, un silence oppressant régnait pendant le repas. Je sentais peser sur moi le regard perçant et sévère de mon père. Il semblait vouloir sonder mon esprit, mais en vain. C'était comme ça depuis quelques jours, en fait, depuis que je lui avais avoué être amoureux de mon meilleur ami. Il ne m'adressait plus la parole et il m'ignorait. Comme si je n'existais plus. Il me regardait comme s'il ne me reconnaissait plus, ou comme s'il ne voulait plus me reconnaître.

Je ne pouvais toutefois pas lui en vouloir. Jamais il n'aurait pu s'imaginer avoir mis au monde un fils homosexuel. D'ailleurs, moi aussi j'ai peine à y croire. Cette phase n'était-elle que passagère dans ma vie? Peut-être n'était-ce pas définitif? Je l'espérais bien, car je voyais mal ma vie continuer ainsi.

Il était presque l'heure de la prière du crépuscule. Une fois le repas terminé, tous les membres de ma famille se préparaient pour la prière. De mon côté, j'empoignai une veste et je sortis, ma famille sur les talons. J'étais content de ne plus avoir à subir le regard réprobateur de mon père. Pour m'assurer de ne pas être en retard et pour conserver une certaine distance entre mon père et moi, je marchai rapidement sur le chemin.

Arrivé à destination, j'entrai dans le bâtiment et je me dirigeai vers la salle de bains afin de me laver les mains, la tête et les pieds. Puis, je me dirigeai vers la salle de prière, pieds nus, comme à l'habitude. Je m'installai sur mon tapis et je me préparai à la prière. Cette fois-ci, je n'étais pas distrait.

J'étais réellement concentré, du moins, jusqu'à la moitié de la prière.

Encore une fois, je me remettais en question et ne portais plus attention aux gestes que je faisais. De toute façon, prier était devenu mécanique pour moi. Toutes mes pensées tournaient maintenant autour du même aspect de ma vie qui me préoccupait depuis quelques jours déjà. Pourquoi ne pouvais-je pas avoir la liberté d'aimer qui je voulais ? L'important n'est-il pas de s'aimer soi-même et d'aimer les autres ? Qu'importait que ce soit mon meilleur ami ? Qu'importait que mon père soit en désaccord ? Ou que la majorité des gens de mon peuple me désapprouve également ?

À force de me questionner, je ne vis pas le temps filer et arriver la fin de la prière. Je quittai donc la salle. Lorsque j'ouvris la porte de la mosquée, je fis un pas dehors et levai la tête vers le ciel. C'est à ce moment-là que la réponse à mes questions m'apparut. Quoi que me dise ma religion, l'être supérieur qu'on surnomme Dieu m'encouragerait et me permettrait d'assumer mon identité. J'étais Jawaad Hassan et j'étais amoureux !

Véronique Roy
École secondaire catholique l'Escale, Rockland

Née en 1995, Véronique Roy est originaire de Rockland, en Ontario. Passionnée de la langue française, elle a eu la piqûre de la lecture et de l'écriture à l'âge de 12 ans. Elle obtiendra son diplôme d'études secondaires l'an prochain. Elle poursuivra ses études en sciences sociales, possiblement en psychologie ou en histoire.

Amitié troublée et indéfinie

JE LA REGARDE sortir sous la pluie froide et battante, en laissant la porte entrouverte derrière elle. Je la suis, puis je m'arrête sur le patio de l'entrée. Martine pleure amèrement, les yeux remplis d'une tristesse que je ne peux comprendre. Son regard éperdu me donne l'envie de la serrer dans mes bras et de la consoler, mais elle m'empêche fermement de l'approcher. Ce refus de tendresse, en plus de la froideur qu'elle affiche dernièrement, me laisse un goût amer. Elle murmure quelques bouts de phrase desquels je crois entendre qu'elle va revenir plus tard pendant la soirée. Je ne saurais déterminer si l'incompréhension ou l'inquiétude me ronge davantage, mais les deux assombrissent malencontreusement ma journée. Je jette par terre le mégot de ma cigarette qui fume encore et constate l'humidité dans l'air avant de rentrer.

Découragée, je m'attaque au désordre tenace qui envahit ma chambre et où la poussière s'accumule depuis que j'ai quitté la maison pour m'installer avec Martine, il y a près de cinq mois. Les vêtements éparpillés qui couvrent le sol, la tringle des rideaux qui ne tient plus solidement, la porte de la garde-robe qui ne ferme plus et les draps enroulés sur mon lit m'indiquent que cet après-midi de ménage est une obligation à laquelle j'ai échappé trop longtemps. L'ensemble de notre appartement, par contre, demeure propre, dégage une odeur fraîche et offre une atmosphère plutôt chaleureuse. Les murs de teintes claires, bleu et violet où sont encadrées des photos mémorables, les hauts vases de forme arrondie et notre divan fétiche, déniché à bas prix, ajoutent de la personnalité à cet appartement trop coûteux et, selon moi, trop petit.

Il fait bon de se retrouver ici, mais dernièrement, j'y ai peu été. Prise entre l'école, le travail et les sorties, je n'y revenais que pour la nuit. Martine, par ailleurs, passe son temps assise dans un fauteuil coloré et confortable, où elle étudie et compose de longues rédactions pour son cours de criminologie. Elle ne se plaint jamais de mon absence coutumière, elle aussi s'adapte à cette nouvelle réalité qu'est l'université et nous vivons différemment notre indépendance, sans pourtant nous séparer. Alliées depuis déjà quelques années, Martine et moi sommes soudées l'une à l'autre émotivement et intellectuellement. L'attachement s'est révélé spontanément et se solidifie au rythme des aventures que nous vivons ensemble. Nos souvenirs nous appartiennent, personne ne saurait concevoir la force de notre relation. Celle-ci est ambiguë : nous nous sentons très liées par l'âme et l'esprit, même si nous sommes en fait si différentes. Cette situation équivoque ne nous embarrasse point.

Je me questionne profondément sur ce qui trouble ma complice. Alors que je l'interroge le surlendemain lors du déjeuner, elle demeure muette et refuse de m'ouvrir son cœur. Je respecte son état d'esprit, elle semble lasse et je crains de l'excéder par mes questions. Martine, devant moi, recueillie sur son fauteuil habituel, soutient faiblement mon regard. Elle m'avoue d'une voix monocorde qu'elle est déprimée et qu'elle aimerait réfléchir. J'en conclus qu'elle doit moins étudier et consacrer davantage de son énergie à des activités qui lui permettraient de s'éclater. Je propose un souper ensemble ce soir-là, puis une sortie pour aller danser entre copains. Elle refuse et explique clairement que là n'est pas le problème, qu'elle doit plutôt se retrouver. Elle ne comprend plus nettement comment elle se sent. La discussion se termine ainsi. Je quitte l'appartement pour prendre l'air, la laissant seule un instant, mais cette tristesse que Martine affiche me talonne maintenant sur mon chemin. Je m'allume une cigarette, la première de la journée. J'observe la flamme de mon briquet pendant qu'une série de questions se déploie dans ma tête. Les confidences imprécises de Martine me brouillent les idées. Elle semble véritablement déroutée, mais je n'arrive pas à trouver ce qui a engendré chez elle une telle remise en question. Martine est mystérieuse et elle ne se dévoile habituellement qu'à moi. Pourquoi refuse-t-elle donc de se confier aujourd'hui ?

Je reviens à l'appartement où je retrouve Martine presque endormie, avide d'un répit, dans sa chambre. Je m'étends près d'elle, mon bras droit l'enlace et ma main gauche se promène doucement dans ses cheveux. Elle susurre calmement la mélodie d'une chanson que je ne peux reconnaître. Je sonde le terrain, craignant un second ravage de larmes inexpliquées. Alors que je m'apprête à lui demander précisément ce qui la préoccupe de la sorte, elle tourne son visage pâle et serein vers le mien. Je l'observe attentivement pendant ce moment paisible où nous sommes si près l'une de l'autre.

Martine a un visage particulier, un nez rond, des yeux sombres, des sourcils bien définis, des joues parsemées de taches de rousseur discrètes et des lèvres minces qui s'étirent lorsqu'elle sourit. Elle a de longs cheveux bruns qui s'emmêlent toujours, dont quelques mèches rendues humides par les larmes qui ont aussi laissé une trace salée sur sa peau limpide. Mes doigts contournent sa figure, puis Martine laisse aller un soupir apaisant. Elle est si belle. Je ne saurais dire si de brèves secondes ou de nombreuses minutes se sont écoulées entre le moment où je me suis allongée avec elle et celui où j'ose prendre la parole pour lui demander précisément ce qui ne va pas.

Martine réfléchit posément aux termes qu'elle va employer, puis me répond : « Èva, je dois t'avouer que mes sentiments s'embrouillent. » Elle prend une pause et enchaîne : « Une émotion vive et distincte me bouleverse quand je suis avec toi. » Perplexe, je ne saisis pas immédiatement le sens de ses mots. En percevant ma confusion, Martine reformule son idée : « Il y a toujours eu cette affection indéfinissable entre nous et l'estime que je t'accorde est absolue, mais je m'interroge sur mes émotions. Depuis plusieurs semaines, mes sentiments envers toi sont différents de ce qu'ils étaient. » Son ton est quelque peu désinvolte, je l'écoute attentivement, rien ne me distrait. « Ce désir inassouvi d'être auprès de toi et d'approfondir notre relation me déchire. Je ne veux plus être limitée au titre d'"amie". »

Je suis si ébranlée que je ne réponds rien. Martine est perdue, affolée, l'âme mise à nu après une telle confidence. Je l'attire vigoureusement contre moi, incertaine d'avoir bien assimilé ce qu'elle vient de me dire. Notre respiration suit le même rythme, le calme nous apaise. Martine se détache quelque peu de moi, s'assoit sur le lit puis ajuste ses couvertures. Lorsqu'elle se retourne, son visage est légèrement au-dessus du mien. Sa main logée derrière mon cou soutient ma tête lourde. Je la sens s'approcher délicatement, puis elle s'arrête alors qu'elle est tout près de moi. Sans même y penser, j'initie un baiser, léger et sincère. Nos lèvres se frôlent, se goûtent puis se découvrent passionnément... jusqu'à ce que je me retire de cette embrassade, craignant de prolonger une étreinte que je ne voulais pas brusquer. Martine est d'accord lorsque je propose de nous laisser la chance de réfléchir à la situation et d'en rediscuter alors que notre âme sera reposée. Nous restons étendues côte à côte jusqu'au lever du soleil, toutes deux livrées à nos pensées intérieures.

La scène d'hier défile sans cesse dans mon imagination. J'ai eu de la difficulté à dormir, les événements sont survenus si vite, mais si naturellement. Je suis déconcertée, je ne m'attendais pas à une telle aventure. Alors que Martine partage ses sentiments avec moi, je doute des miens. Et qu'en serait-il si Martine et moi étions plus qu'amies ? Si intime depuis le début, notre relation n'était-elle pas destinée à évoluer en une histoire amoureuse ? Je me sens bien, charmée. Je suis enchantée d'entamer un nouvel épisode de vie qui nous permettra, à Martine et à moi, de définir une autre parcelle de notre identité...

Janelle Lacasse
École secondaire catholique l'Escale, Rockland

Janelle aime l'écriture, la photographie ainsi que la musique. Elle se réjouit d'avoir participé à ce concours et espère un jour réunir les textes qu'elle a antérieurement écrits et publier un recueil. Ses textes littéraires sont inspirés de ses expériences personnelles et l'innovation de sa plume est guidée par la passion qui l'habite...

Jenny Jones

L A MONTAGNE est là. Dure, froide, intimidante, inflexible.
Mes yeux brûlent, mais personne ne les voit derrière mes
lunettes. Une neige légère accompagne le vent et un petit
flocon blanc tombe sur mes lèvres. Ma bouche a un goût
salé, c'est la sueur qui couvre mon corps et mon visage. Je
serre les mains, mes ongles creusent ma peau. Avec toute ma
force, toute mon énergie, j'envoie voler mon coup de poing.
L'adrénaline coule dans mes veines, je suis prête, c'est le
moment.

*   *   *

– Jenny !
Maman m'attend à la porte, vêtue de son nouveau manteau brun. Je jette un coup d'œil à ma tenue dans le miroir du
salon. Je porte le pantalon de jogging de mon frère, beaucoup
trop grand pour moi, et un *hoodie* aux manches pleines de
trous. Parfait. Je sais que ma mère n'aime pas mon nouveau
style de garçon manqué. Moi non plus, mais c'est obligatoire
si je veux réussir. J'enfile mes grosses bottes d'hiver et la suis
dans la voiture.
Le trajet en auto est long et maman ne parle pas. Seule
la radio, réglée à un volume minimal, brise le silence.

« Aujourd'hui, samedi 7 janvier 1995, journée ensoleillée à Bristol, avec un minimum d'un degré Celsius et un maximum de six. » On arrive enfin.

— Je viens te chercher ici dans 45 minutes, ça te va ?

— Euh, oui, c'est bon, à plus tard.

L'auto démarre immédiatement, je me sens soudainement très seule. Je prends une grande inspiration d'air froid et j'ouvre la porte du salon de coiffure.

Une femme mince, au visage souriant, me regarde dans les yeux.

— Bonjour. As-tu rendez-vous ?

— Oui, à dix heures et quart.

— Alors, suis-moi.

J'entre dans une salle sombre que seule éclaire une petite lampe dans un coin. Les murs sont rouge foncé et le plancher ressemble à un jeu de dames avec ses carrés noirs et blancs. Je prends place sur une chaise noire, en face d'un grand miroir. Je me regarde. Le bout de mes longs cheveux blonds descend jusqu'à mon ventre. Je respire lentement. Antonio, un Italien au visage sérieux, entre dans la pièce.

— Je me spécialise dans les coupes pour hommes, dit-il.

— Bien, c'est ça que je veux.

— Une coupe aussi courte ?

— Oui, rasée, s'il vous plaît.

Son regard pénètre le mien. Il a l'air très confus, mais il sort ses instruments et suit mes instructions.

* * *

Je ferme la porte derrière moi en sortant du petit magasin d'art, à l'angle de Bradley et McClary, une bombe aérosol de peinture noire à la main. Je pivote au coin de la rue et continue dans la ruelle. À mi-chemin, je retrouve ma planche, cachée derrière un vieux frigo brisé. J'ai attendu le coucher du soleil, il fait noir maintenant. Je jette un coup d'œil derrière moi, personne. J'ouvre la bombe de peinture. Mon cœur bat la chamade ; je ne fais rien d'illégal, mais j'ai peur quand même. Si je me faisais attraper, c'est sûr que la police appellerait maman, ou bien papa. Je me demande ce que je préférerais. Avec le doigt, j'appuie légèrement sur le bouton. Un sifflement s'échappe de la bombe et la peinture sort en brume. Je ne suis pas une artiste, mais je contrôle la peinture et je me sens vraiment bien. Je fais des taches noires sur la planche, en m'assurant que tous les dessins roses sont entièrement recouverts. J'ai terminé et je regarde ma planche avec satisfaction.

*   *   *

J'arrive à *Avon Mountain*, ma destination finale, mon lieu préféré depuis mes cinq ans. C'est une piste de ski sèche, puisqu'on n'a presque jamais de neige ici, à Bristol. Mes frères et moi avons pratiquement grandi sur ces collines. C'est la première fois que je viens depuis un mois. La dernière fois, je me suis fait ridiculiser en entrant dans le *parc HP*, le parc de planches à neige acrobatique. Pourquoi ? Parce que je suis une fille. Parce que mes deux frères sont des célébrités à *Avon* et ne veulent pas que leur petite sœur se compare à eux.

— L'acrobatie en planche à neige, c'est pas pour les petites filles, personne veut de toi ici.

Ce sont les derniers mots qui m'ont été jetés sur cette colline. Et ce qui me dérange le plus, c'est que c'est vrai. Je n'ai jamais vu de filles entrer au *parc HP*.

Je gravis la montagne avec confiance. Personne ne remarque que je suis une fille. Je me donne un coup de poing dans la jambe, un petit rituel qui vient de mon frère, pour attirer le courage et la chance. Je descends à grande vitesse. Je saute. Je tombe. Je me relève. Je remonte la colline. Je descends. Je monte encore. Je saute. Je tombe. Je me relève. Je saute. Je réussis. Je remonte. Je ne suis plus seulement une fille. Je réussis.

* * *

Californie, hiver 2011. C'est la douzième année que je participe aux concours X Games d'acrobatie sur neige.

– JENNY JONES! JENNY JONES! J.J!

Les hurlements se font plus forts que jamais. La montagne est là. Dure, froide, intimidante, inflexible. Mes yeux brûlent, mais personne ne les voit derrière mes lunettes. Une neige légère accompagne le vent, et un petit flocon blanc tombe sur mes lèvres. Ma bouche a un goût salé, c'est la sueur qui couvre mon corps et mon visage. Je serre les mains, mes ongles creusent ma peau. Avec toute ma force, toute mon énergie, j'envoie voler mon coup de poing. L'adrénaline coule dans mes veines, je suis prête, c'est le moment.

Sydnie D'Aoust
École secondaire Gabriel-Dumont, London

Sydnie D'Aoust a 16 ans et habite à London, en Ontario. Elle adore faire de la planche à neige et travaille à Boler Mountain, sa piste de ski locale. Jenny Jones est une championne de X Games qu'elle admire. Elle vous propose ici une fiction basée sur son expérience de ce sport.

L'amitié dans l'adversité

C'ÉTAIT UN VENDREDI quand j'ai réalisé qui j'étais. Le lundi suivant, je le lui ai dit.

*　*　*

L'arrivée du printemps annonçait, pour la ville de Minaki, le point culminant de la saison du hockey senior dans les écoles secondaires. Les parents ne s'intéressaient qu'au jeu, aux paris, aux victoires et à l'équipe qu'ils idolâtraient ; et celui qui n'était ni athlète, ni partisan, finissait seul. Lui, c'était moi.

C'est ironique que nos parents prônent continuellement l'importance de l'esprit d'équipe, de la confiance, de la loyauté, de la fierté et de la réussite lorsqu'ils discutent de sport, mais qu'en même temps ils puissent négliger leur deuxième fils.

Mon père croit qu'il n'a qu'un fils valable : Sébastien, la vedette de l'équipe des Boucliers. Personne ne peut toucher à son enfant chéri. La semaine dernière, pendant une partie, Sébastien s'est mérité une pénalité.

– C'est de la tricherie ! De la fraude ! s'écria mon père. Hey, l'arbitre ! Vous êtes une gang d'incompétents, ou quoi ?

Ce qui m'avait semblé méprisable, c'est le fait que mon père n'était pas le seul à s'en mêler. La foule au complet hurlait, enragée par la punition du joueur glorifié.

Leur idole. On ne peut ni la juger, ni la remettre en question sans être accusé de partialité quand, en réalité, ce sont eux qui sont partiaux. J'ai décidé ce soir-là que je n'assisterais plus aux parties de hockey. Comme ça, personne ne pourrait plus me comparer à ce cher Sébastien.

Mon père m'engueule régulièrement :

– Qu'est-ce qui ne va pas ? dit-il, mécontent. Tu devrais te comporter comme ton frère et faire quelque chose de ta vie. Tu es si paresseux, Gabriel ! Tu n'arriveras à rien tout seul !

Pour les habitants de Minaki, rien n'est plus abominable que de ne pas s'intéresser au hockey. Autrement dit, être différent des autres.

Mais ils ont raison. Je suis seul dans cette petite ville. Une ville dans laquelle j'ai grandi, appris. Une ville qui m'est en fait complètement étrangère.

Ma mère, elle, croit que l'abomination suprême se trouve dans celui qui ne croit pas en Dieu. Elle est pieuse sans bon sens. L'accusation, c'est un péché. La peur, c'est un péché. La colère, c'est un péché. Et on ne peut pas en débattre avec elle puisque argumenter, c'est un péché.

Personnellement, je ne crois pas en Dieu. Est-ce que c'est un sujet que j'aborderais avec ma mère ? Jamais ! C'est que la damnation, l'enfer, la pénitence ne m'intéressent point. Comment pourrais-je croire qu'un être mystérieux me force à agir d'une certaine façon, une façon qui m'est étrangère ? Comment peut-il me dire que je ne peux pas être celui que j'ai toujours été ? Ma mère croit en tout. Elle est stricte et religieuse, mais s'est laissée emporter par l'engouement du hockey. Quel est le sens de tout ça ?

Vous voyez, chaque jour ma propre famille me semble étrangère.

Mais, au moins, je n'ai pas été seul bien longtemps. J'ai rencontré Christian.

C'était un lundi et l'école était fermée pour la journée. La ville s'était rassemblée pour une demi-finale des Boucliers et je me suis retrouvé sans rien à faire. Je me suis alors dirigé vers la bibliothèque publique, mon refuge habituel. Elle semblait déserte, à part la bibliothécaire qui écoutait la joute avec ses écouteurs. Je me suis alors échappé, grâce à un bon roman policier, installé confortablement dans mon rayon préféré. J'ai lu pendant quelque temps quand, soudainement, j'ai détaché mes yeux du livre en entendant un éclat de rire.

J'étais curieux, captivé par la présence d'un être, autre que moi, qui n'était pas présent à la partie d'aujourd'hui. Quel crime !

J'ai inspecté la bibliothèque et, au fond du dernier rayon, était assis un jeune homme de mon âge. Il s'est aperçu de ma présence, m'a salué et m'a invité à m'asseoir avec lui.

On s'est mis à parler. Il s'appelait Christian et lui aussi s'était échappé du vacarme des fanatiques sportifs. Il aimait l'art et les langues et non le sport. Il était musicien, artiste, « un écrivain en formation », disait-il pour plaisanter. J'ai été renversé quand j'ai réalisé qu'il était comme moi.

Étonné d'avoir trouvé un ami après une telle solitude, je trouvais déjà la ville de Minaki moins terrible.

Le vendredi soir, à la maison, c'était le chaos. L'équipement de mon frère était éparpillé négligemment. Pour la première fois, j'étais content de me retrouver dans ce désordre. Comme j'allais prendre mon manteau pour sortir, ma mère s'adressa à moi :

— Où vas-tu ? me lança-t-elle comme j'avais la main sur la poignée.

— Chez un ami, ai-je répondu, surpris qu'elle m'ait remarqué.

Son expression d'incrédulité m'a vraiment blessé. Je suis sorti en essayant de ne pas me laisser déranger par sa réaction.

En arrivant chez Christian, j'ai été accueilli si chaleureusement par sa famille que je n'y ai plus pensé. Comme nous nous installions dans la salle familiale, ses parents se sont joints à nous et m'ont décrit leurs voyages captivants.

Madame Chevalier avait voyagé pendant toute sa vie, même enfant. Lorsqu'elle s'est mariée, elle a continué la tradition avec sa famille. Les Chevalier venaient juste de déménager de la ville de Québec et, comme moi, étaient ouverts à l'art et à sa beauté, bien plus que ne l'étaient les gens de Minaki.

— Je n'aurais jamais quitté Québec pour Minaki ! me suis-je exclamé.

Ils ont tous ri avec moi. À vrai dire, c'était la première fois que je me sentais chez moi.

Toute la soirée, nous avons bavardé. Christian est incroyable. Il est différent des autres. Il est calme, réservé, introverti, discret… beau. Soudainement, j'ai réalisé que je le considérais comme plus qu'un ami. À cette pensée, j'ai eu peur. Et, pas longtemps après, je suis parti.

De retour chez moi, je me suis mis à arpenter ma chambre nerveusement. Qui étais-je ? « Comment suis-je devenu ainsi ? ai-je pensé. Non, ce n'est pas possible, ce n'est pas moi, d'accord ? Comment ne l'ai-je jamais su ? Est-ce que je rêve ? Est-ce que j'exagère ? Ce n'est pas moi... »

Assis sur mon lit, le visage dans les mains, je raisonnais avec difficulté :

« Les hommes, c'est ce que je désire... Mais ce n'est pas ce que je veux désirer ! Ce n'est pas moi... Est-ce que ça me change ? Mes habitudes, mes passe-temps, devraient-ils être les mêmes ?

Ce n'est pas moi... »

Je me sentais séparé de mon corps. Seul, un fantôme dans le vide. Rien n'allait, rien ne fonctionnait.

C'est le chaos habituel d'un samedi matin qui m'a réveillé. Encore habillé, épuisé et mal dans ma peau, je n'ai pas quitté ma chambre de toute la journée. Personne ne s'est assuré que j'allais bien. Ils n'ont même pas remarqué que j'étais absent. Je me noyais dans mes pensées, ne cessant de me remettre en question.

Tout à coup, une pensée m'est venue à l'esprit : « Qu'est-ce que je dis à Christian ? Je ne peux pas lui dire... Personne ne peut savoir, pas ici. Mais comment demeurer son ami quand j'ai de tels sentiments pour lui ? Ça affectera notre amitié et je ne peux pas perdre mon seul copain... »

* * *

Le lundi, après l'école, je me suis retrouvé nez à nez avec Christian. Il s'extasiait devant un roman satirique d'Octave Mirbeau qu'il venait de découvrir. Comme il bavardait, je ne pouvais que penser à ce qu'il ne pourrait jamais savoir.

« Il ne m'acceptera pas, ai-je raisonné. Il ne comprendra pas. Pourrais-je le lui dire ? Ses parents sont cultivés, ils ont l'esprit ouvert. Ce sont des citadins innés. C'est ma seule chance. »

— Je t'aime, ai-je laissé échapper.

Pendant quelques secondes, il y eut un silence gênant. Je voyais que ses yeux me jugeaient et qu'il réfléchissait rapidement. Il m'a lancé :

— Je dois… J'ai un rendez-vous.

Il a tourné les talons, sans me regarder, et m'a quitté. L'expression de son visage me disait ce que je ne voulais pas entendre : « Il n'est pas normal. »

J'étais si surpris et blessé que je suis rentré chez moi. J'ai contourné le désordre du rez-de-chaussée et j'ai fermé la porte de ma chambre derrière moi.

J'étais brisé. Je suffoquais dans ma propre peau pendant que des larmes coulaient le long de mes joues. Seul dans ma chambre, seul dans cette famille, seul à Minaki, j'étais complètement abandonné, abattu.

Une semaine passa sans que j'entende parler de Christian. De nouveau, j'étais à la bibliothèque, solitaire, lorsque quelqu'un m'a tapé sur l'épaule.

— Pourrais-je t'interrompre ? m'a demandé Christian.

Il s'est assis avec moi et m'a dit :

— Gabriel, j'ai réalisé que je t'ai jugé avant de vraiment y réfléchir. En réalité, ton amitié est plus importante pour moi que le fait que tu sois un peu différent. À vrai dire, ici, nous sommes tous les deux, chacun à notre manière, différents des autres, mais cela ne veut pas dire qu'on a tort. Peut-être que si on pouvait vraiment s'accepter l'un et l'autre, on pourrait réellement accomplir quelque chose. Qu'en penses-tu ? Tu me pardonnes ?

C'est ainsi que Minaki est devenue ma ville, puisque j'y étais accepté par quelqu'un. Moi qui avais toujours été sous-estimé et critiqué, je me sentais maintenant capable de dépasser les attentes de tout le monde. Et, même, j'ai commencé à croire en la religion quand je suis tombé sur un extrait d'un texte religieux. Timothée 4 :12 : « Que personne ne méprise ta jeunesse ; mais sois le modèle des fidèles, en parole, en conduite, en amour, en foi, en pureté. »

Marie-France Larocque
École secondaire publique Louis-Riel, Gloucester

Pour Marie-France, écrire, c'est divertir celui qui est stressé. C'est distraire celui qui est troublé. C'est créer pour celui qui veut découvrir. C'est ce que l'écriture évoque en elle et elle a un immense respect pour le travail de l'écrivain et pour l'art littéraire.

UNE IDENTITÉ
EN DEVENIR

Dis-moi : qui es-tu ?

IL PARAÎT QUE les gens croient savoir qui ils sont, jusqu'au moment où ils doivent faire un choix de carrière. Alors, ils réalisent qu'ils n'ont aucune idée de ce qu'ils veulent vraiment.

Toute notre vie, on nous a élevés d'une certaine façon et dirigés vers un vague objectif. Le plus grand de nos soucis a été de réussir un examen et de nous assurer que notre équipe sportive gagne au prochain match. Tout d'un coup, les profs se mettent à nous parler de « choix »… chose qui, pour nous, les étudiants, se réduisait jusqu'alors à choisir entre un morceau de pizza et une salade, entre rédiger une dissertation et aller patiner. Alors, on se dit que ce choix aussi sera facile, et qu'on continuera notre petite vie tout comme avant.

Mais on se rend compte que les profs ne cessent de revenir sur ce choix de vie. Ils commencent à nous dire que c'est un choix qui pourra changer notre vie d'une façon radicale. Ils disent que c'est l'une des décisions les plus importantes qu'on va devoir prendre. Pourtant, on ne se stresse pas. Les profs exagèrent souvent. Il y a encore trois mois avant que l'on doive soumettre nos demandes d'admission aux universités. Trois mois, pour nous, c'est beaucoup. Dans trois mois, ce sera déjà l'hiver, on aura assisté au moins à trois concerts, on aura subi des tests et des tests… On pense que trois mois, c'est une éternité.

On continue notre routine : sortir avec des amis, étudier ou non avant un test, sortir avec notre blonde ou notre chum. Un jour, on rentre à la maison et on aperçoit nos parents assis à la table à manger, nous regardant silencieusement, des sourires inquiets sur le visage. Ils commencent alors une conversation tout à fait inhabituelle, sans reproche, sans ordre, sans nous demander si notre chambre est bien rangée. C'est alors qu'on se demande si tout est « correct ». Et à ce moment, ils se regardent et puis l'un d'entre eux se tourne vers nous et dit :

« On voudrait te parler des universités. »

Lorsque nos parents nous en parlent, on sait que c'est une affaire sérieuse. On commence donc à faire des recherches sur les programmes universitaires. On s'aperçoit qu'il y en a plusieurs. On considère tout, à ce moment. On est même très heureux de voir qu'il y a tant de programmes. Mais cette pensée demeure toujours au fond de notre esprit : on est plus intéressé par le match de hockey à la télé que par les recherches que nos parents nous ont imposées pour notre bien.

Après deux semaines, la conseillère d'orientation vient dans notre classe de français pour faire une présentation à propos des universités. À un moment donné, elle relève l'importance de bien se connaître. Bah bien sûr qu'on se connaît soi-même, pense-t-on ! Elle poursuit : si on ne sait pas qui on est, on ne peut pas faire un bon choix. Elle nous conseille alors de nous poser cette question : « Qui suis-je ? » Au début, on pense que ce n'est qu'une petite activité scolaire, que c'est impossible de vivre sans savoir qui on est. Si nous, on ne le sait pas, comment quelqu'un d'autre pourrait-il dire qui nous sommes ? Alors, on essaie de répondre à cette question : « Je suis... je suis... ». On découvre alors qu'on en est incapable. Mais on dit qu'on est un peu fatigué, qu'on est distrait, et que c'est pour ça qu'on ne peut répondre à cette simple question. On remet alors la réponse à demain. La journée passe, mais cette question demeure toujours dans notre tête.

Deux semaines plus tard, on n'a toujours pas de réponse et la panique commence à monter dans notre poitrine. Chaque nuit, on se couche en y pensant. Chaque matin, on se réveille avec les mêmes pensées. Les étudiants ne vivent plus dans le présent, leur avenir les obsède. Il semble que le choix d'une université a remplacé tout autre sujet de conversation. Il ne se passe pas un jour sans un rappel de nos profs.

À un moment donné, on comprend miraculeusement quelle université semble nous convenir. Tout le monde nous dit qu'on a fait le bon choix. Sans doute les autres savent-ils tous exactement ce qui est bon pour nous. Mais on ressent plus d'angoisse que d'excitation. Nos amis commencent à changer. Nous aussi. Soudain, on réalise que la vie qu'on menait avant n'est plus la même. Des murs invisibles se bâtissent autour de nous. Certains d'entre nous deviendront des chimistes, d'autres des journalistes, d'autres des biologistes. C'est comme si chacun avait perdu son identité personnelle. La question « Qui suis-je ? » n'a toujours pas trouvé de réponse. Si avant, on pensait qu'on connaissait la réponse, on est maintenant certain qu'on était dans l'erreur. Mais la plupart d'entre nous ne se compliquent pas la vie. Ils demandent plutôt à leurs amis. La connaissance de soi semble maintenant être plus loin que les limites de l'univers. Sans se connaître, on ne pense qu'à soi-même. Chaque fin de semaine, on reste collé devant « l'ordi », lisant les descriptions des programmes universitaires qui semblent intéressants. Mais aucun nom de profession ne nous attire. Chacun semble être un cliché différent parmi une série de photographies glacées. On ne ressent aucun sentiment, rien ne colle à notre peau.

« Ceci est l'une des décisions les plus importantes de votre vie. » « Pensez aux coûts. Ne faites pas d'erreurs. » « Personne ne vous connaît mieux que vous-mêmes. » Tous les conseils semblent être un tourbillon dans lequel on s'engloutit, jusqu'au moment où l'on sent que l'on n'est plus capable de revenir à la surface. Notre personne, notre vie, notre futur sont devenus embrouillés. Chaque jour est une bataille pour retrouver l'insouciance perdue.

C'est alors que la simplicité de notre vie d'adolescent devient réconfortante. On n'en peut plus des défis, des pensées épuisantes. Et pourtant, notre décision n'est toujours pas prise. On a l'esprit si confus qu'on n'a plus confiance en soi. On demande un autre et un autre avis ; un conseil, un dernier conseil. On réalise alors qu'il y a seulement deux autres êtres dans ce monde qui peuvent nous connaître aussi bien que nous-mêmes et même mieux. S'ils nous ont créés, ils doivent savoir mieux que nous ce qu'on veut de la vie.

Notre mère nous dit alors qu'on doit écouter notre cœur. Merci maman. Mais, dans notre confusion, le cœur ne parle pas, l'écoute de ses battements ne nous suggère rien. Ou peut-être ne sommes-nous pas en mesure de les interpréter. Notre père nous parle du côté pratique des choses. Ah, les pères et le côté pratique. Il nous rappelle que rien n'est gratuit. Il dit que les espoirs ne nourriront pas une personne. Sans doute pour appuyer ses arguments, il se donne en exemple. Il me demande de regarder ce qui m'entoure. Cette maison, ce livre, cette pomme : il a payé pour tout ça. Il me rappelle que moi, je suis son fils. Que moi aussi, je peux avoir tout ça. Il me dit que l'ingénierie paie bien, que dans notre famille on a du talent pour les sciences et les mathématiques, de toute façon. Tout semble si simple, si clair. Une vie calme, sûre, pratique. Des vacances en Floride une fois par an. Il m'a convaincu. Je serai comme papa.

On entend sur les ondes de la radio étudiante que c'est le dernier jour pour soumettre ses demandes d'admission aux universités. On descend les escaliers. Ces trois mois ont passé si vite. On arrive au bureau de la conseillère en orientation. On lui remet nos demandes. Elle feuillette rapidement les formulaires. On se souvient de sa question. Il y a trois mois, on n'a pas pu y répondre. Aujourd'hui, on essaie encore. Toujours pas de réponse. Elle nous regarde avec un sourire et nous dit, tout comme notre famille, nos amis et le reste du monde entier qui semble être si bien informé au sujet de notre personne : « T'as fait le bon choix. » On hoche la tête, on tourne les talons et on retourne en classe. On parle avec nos amis. Il y a une joute de hockey ce soir.

Ces trois mois, je ne les oublierai jamais. J'ai passé un an à l'université, en génie électrique. Tout était très calme et très sûr. Puis, je me suis retiré du programme, calmement. Je sais, c'est surprenant - mais le génie, ce n'était pas pour moi. Je ne sais toujours pas qui je suis, et je ne sais pas si un matin je le saurai. Et ce n'est pas parce que je ne me connais pas. C'est juste que j'évolue et je change. On verra. Peut-être. Dans quelques années, je serai un expert sur moi-même. Mais en ce moment, je ne suis certain que d'une chose : je ne veux pas simplement suivre la trace de mes parents.

Sophie Imas
Collège français de Toronto

Sophie (ou Sofia) est une élève de 11ᵉ année. Depuis son enfance, elle a un amour inexplicable pour les langues. Elle est passionnée de littérature, de création littéraire, d'études cognitives et ne cesse d'essayer de comprendre la pensée humaine (même si parfois, cela lui semble impossible).

Invisible

J E M'ASSOIS SUR le trottoir, la tête penchée sur les genoux. Du coin de l'œil, je vois une feuille qui danse au vent, offrant une impression de liberté alors qu'elle est en fait captive du souffle du vent. Je lève la tête, un rideau de cheveux blonds cache le monde à ma vue. C'est ma solitude et je l'adore. Un autre coup de vent et c'est parti : mes yeux s'ouvrent sur la réalité. En face de moi se trouve une école secondaire, ses murs de briques orangées se moquent de moi, ses fenêtres promettent la liberté aux élèves, me laissant au dehors. Je suis exclu de ce monde. J'imagine le plancher blanc et les murs gris, sans vie, jusqu'au moment où les premiers élèves arrivent le matin. Les corridors se séparent en une suite de classes remplies d'enseignants et d'élèves, tous ayant l'impression que les valeurs enseignées seront utiles dans leurs vies ; ils font confiance au système. C'est ça leur erreur. Je consulte ma montre : 14 h 58. Il est temps de partir. Je me lève, faut-il aller vers la gauche ou vers la droite ? De toute façon, ça ne changera rien. Mes pieds me mènent à la grande rue, mais mon cerveau se trouve autre part.

*   *   *

– Jules, j'ai pris une décision... T'es le plus vieux... plus facile pour toi... Je m'excuse...

Je n'y pense plus. Le feu dans mon cœur me monte au visage et c'est trop évident que je suis choqué. Encore une fois, je me sens engourdi. Je suis maintenant sur Sainte-Catherine, la rue la plus occupée de la ville de Montréal. Plusieurs boutiques s'y alignent, procurant une atmosphère particulière à ce coin de la ville. Je passe près d'un couple habillé pauvrement, de vêtements plus appropriés pour l'été que pour les températures frigides de novembre. Leurs souliers troués semblent être de trois pointures de trop. Leurs cheveux sont ébouriffés et leur peau est un peu grisâtre. Je remarque que la femme porte un foulard en soie rouge. Un foulard qui a sûrement été volé. C'est une scène typique ici. Je m'éloigne d'eux et je m'assois sur un banc devant la boutique du fleuriste. C'est l'endroit parfait, puisque d'habitude les employés des cafés me chassent et que les bouquineries n'attirent pas assez de monde pour que je puisse faire un profit. Alors, je me suis installé ici il y a un an et j'y retourne chaque jour depuis.

Avec les craies que j'ai achetées en août, je me mets à dessiner sur le trottoir. C'est une scène de nuit, les étoiles dansant dans le noir en arrière-plan, la lune éclairant les voiliers qui retournent au quai; c'est un jeu de lumières, une trajectoire directe entre les yeux et le cœur. Le chapeau que j'ai laissé à côté de moi se remplit peu à peu, et finalement je me perds dans mes pensées.

* * *

– Jules, j'ai pris une décision...

C'est ma mère, ça; je ne lui réponds pas, mes yeux restent fixés aux pages du livre devant moi.

— T'es le plus vieux... plus facile pour toi... Je m'excuse...

Je sais ce qui s'en vient, mais je ne veux pas l'entendre. Deux jours plus tard, ma valise est faite et je suis en route pour ma famille d'accueil. Imaginez, un garçon de 15 ans, venant tout juste de se faire abandonner par sa mère, comme il l'avait déjà été par son père, qui entre dans une famille d'accueil avec huit autres enfants issus de familles troublées, dysfonctionnelles. C'était ma vie, et je la haïssais.

Il est presque 16 h 45, plus le temps de penser aux événements anciens. Je recueille l'argent que les passants ont déposé dans mon chapeau : 32,74 $, pas pire. Je me rends à la station de métro qui se situe à une quinzaine de rues d'ici. Il y a une station plus proche, mais sa clientèle est moins bonne. J'entre dans la station et je me mets au travail. Un homme bien habillé, probablement dans la quarantaine, se dirige vers moi. J'imagine qu'il travaille dans un bureau ou même dans une banque. Un homme typique, un patron de grande compagnie... Surprenant qu'il prenne le métro. Il s'approche. Je le laisse passer devant moi. Un portefeuille gonfle sa poche arrière ; trois, deux, un... et je l'ai.

Quand j'allais à l'école, je me souviens que nous lisions l'autobiographie d'un meurtrier. *Moi, seul*. Ce titre hante mes rêves depuis le jour où ma mère a annoncé qu'elle partait. C'est ce livre même que je lisais lorsqu'elle me l'a dit. Je me souviens que, dans ce livre, le criminel réfléchit sur sa vie et se rend compte que le point tournant de ses malheurs se situe dans son enfance. Il raconte cet instant, alors qu'il avait huit ans : il marchait au centre-ville et, en passant près d'une allée, il avait vu deux hommes qui en battaient un autre. À ce moment, il avait eu peur et il avait consciemment décidé qu'il ne serait jamais à la place de l'homme battu. Il ne serait jamais à la merci des autres. Cette histoire m'a touché. Depuis, j'ai toujours pensé que je n'étais inférieur à personne.

Je suis un jeune homme décidément supérieur aux autres, prêt à le prouver, un jeune homme loin d'être fou... Je me sens supérieur. Pourtant, je sais que jamais je ne pourrais me rendre aussi loin que le meurtrier du livre, même si me voici aujourd'hui un voleur, un criminel de toute façon.

Je suis fatigué. Dehors, il fait noir ; les lampadaires sont allumés depuis une demi-heure. Il est 21 h 27, j'ai maintenant 263,78 $ dans ma poche et je n'ai pas fini. En mettant le pied au sol, je remarque un billet froissé dans une craque de trottoir. Quelque chose me prend par surprise : la faim. J'entre dans un petit dépanneur et je m'achète un beignet. Un téléphone sonne, mes pieds avancent mécaniquement et, une fois encore, je suis perdu dans mes pensées.

* * *

C'est le 13 juin, la date de mon seizième anniversaire. Je vis avec ma famille d'accueil depuis près de deux mois et je suis presque heureux. Presque. Assis à la table, Paul, l'amant de ma mère adoptive, a acheté des beignets. Je viens de prendre la première bouchée du mien, quand le téléphone sonne.

— Jules, téléphone !

Je prends le récepteur et, lentement, je réponds :

— Maman ? Bonjour... Où es-tu ?

— Jules, je me trouve dans une mauvaise situation... J'ai besoin d'argent.

— ...

— Jules ? M'as-tu entendu ?

Je me souviens de ce jour comme si c'était hier. Après ça, j'ai trouvé un emploi dans une pizzeria près de chez moi. J'envoyais tout mon argent à ma mère, mais je n'ai jamais entendu parler d'elle depuis cet appel. Pas de merci, rien, pas de nouvelles. Après trois mois, j'ai quitté mon emploi.

Plus de raison de prendre soin de ma mère; elle ne l'a pas fait pour moi. Je déteste l'injustice. À la mi-septembre, je suis parti de la maison d'accueil. Je n'en pouvais plus.

Toujours à moi d'arranger les choses, toujours à moi de prendre les responsabilités. Et maintenant, qui suis-je? Moi, Jules Desmers, je ne suis personne. Je suis invisible. Quand je suis assis sur un banc, dans une allée, sur le trottoir devant un édifice ou un magasin, personne ne me voit. Invisible. Je cours à pleine vitesse. Le feu dans mon cœur se propage partout dans mon corps; je le sens dans chacun de mes membres, dans ma colonne vertébrale, dans mes poumons. Il se propage dans mon ventre, et il monte. Monte, jusque dans ma gorge. La douleur frappe mon corps comme un orage; je m'arrête brusquement. Je ressens un mélange d'émotions. Et je pleure.

Je suis sur le Mont-Royal. Mon dernier arrêt. Ici, ce n'est pas trouver de l'argent qui m'occupe. Ici, je me conduis comme un bon citoyen, respectant les lois, endurant l'autorité. C'est mon endroit préféré dans le monde. J'y resterais toujours si je le pouvais. J'arrive au petit sentier caché entre les buissons, et j'y suis. La statue est grande, mais si tu ne sais pas qu'elle existe, tu ne la verras jamais. C'est une femme qui tient son bébé. Sur sa joue, il y a une larme; seuls ses yeux sont chaleureux. Tu peux voir qu'elle est troublée. Le bébé ne le sait pas, il a un sourire au visage et c'est évident qu'il adore sa mère.

23 h 51, je suis au lit, dans le sous-sol de l'édifice abandonné qui me sert temporairement d'abri. La pièce est froide et mes couvertures sont les seules choses qui me gardent au chaud. Je ferme les yeux et l'image de la statue me vient en tête. Je sais qui je suis. Je suis Jules Desmers, un sans-abri. Je suis Jules Desmers, un sans-abri pour l'instant, mais pas

pour toujours. Je changerai ma vie. Je suis Jules Desmers, et j'aimerai toujours la mère que je ne connais plus.

Emalie Hendel
École secondaire Macdonald-Cartier, Sudbury

Emalie a toujours aimé écrire. Depuis son enfance, elle a de la facilité à s'exprimer par écrit. Elle a présentement 16 ans. Elle joue au tennis et participe à des compétitions de danse. Même si elle ne sait toujours pas ce qu'elle entreprendra comme carrière, il va sans dire que l'écriture sera toujours une passion pour elle.

Lucie

JE COURS VERS la porte d'entrée, je traverse la cuisine, passe devant l'escalier et devant mon chien qui dort sur le canapé. Mes chaussettes glissent sur le plancher de bois; je freine de côté et je place les mains devant moi pour m'arrêter, comme les joueurs de hockey. J'ouvre d'un coup.

– Merci! dis-je au facteur, en tendant la main.

Il me remet une lettre. Je ferme la porte et y presse mon dos. Mon cœur bat vite, les papillons dans mon ventre s'excitent un peu trop. J'attends cette lettre depuis le début de l'été!

Je me mords la lèvre en l'ouvrant:

Chère Lucie,

Nous sommes heureux de vous annoncer que vous êtes acceptée à notre programme professionnel de l'École Nationale de Ballet du Canada.

Je m'y vois déjà. Moi, meilleure ballerine de l'ÉNB, danseuse étoile. Je serai une star!

* * *

La voiture s'arrête, je descends gracieusement. Je replace mes longs cheveux bruns derrière mes oreilles. À l'entrée de l'école, une pancarte indique : « Nouveaux élèves : troisième étage. »

— Bonjour ! Ton nom ? me demande la directrice, Mme Staines.

— Lucie Eustace ! je réponds avec un grand sourire. Elle me tend une enveloppe.

— Voici ton horaire et des formulaires pour tes choix de cours. Ton dortoir est à gauche, pièce B3. Bienvenue à l'ÉNB ! ajoute-t-elle avec bonne humeur.

Sur chaque porte, il y a un petit tableau blanc où les danseurs peuvent écrire des messages. Quand j'arrive devant la salle B3, rien n'est écrit. J'ouvre la porte et une petite chambre apparaît devant moi. Les murs sont verts et il y a deux lits : un de chaque côté de la pièce. En face de moi se trouve une grande fenêtre. Sur un des lits, il y a déjà une couette, un oreiller et au mur, plein de photos. Des chaussons de pointe et un tutu sont accrochés à la tête du lit.

— Ah ! Tu dois être ma colocataire ? demande une petite voix. Je me retourne vers une fille, plus petite que moi, mince, belle. Ses cheveux, bruns avec des éclats de rouge orangé, sont attachés en une queue de cheval parfaite.

— Lucie Eustace. Et toi ? dis-je en lui tendant la main.

— Alessandra Buffone ! répond-elle avec un petit accent italien, un grand sourire et en me serrant la main. Sur les photos qu'elle a affichées au mur, elle est devant la tour de Pise, assise sur une chaise à manger de la *gelato*.

— Tu es Italienne ?

— Oui ! Et toi, tu dois être Française ! J'aime bien ton accent ! m'explique-t-elle.

* * *

— Et un, deux, trois, quatre. Remontez lentement ! nous commande M. Mikhaïlov, dit M. M, avec son accent russe très marqué.

J'exécute mon plié parfaitement, la tête haute, les fesses rentrées, le ventre plat. M. M se promène autour du studio en inspectant les corps, la posture, la musicalité des danseurs et des danseuses. En commençant mon développé, je pense à ma journée. J'ai trois cours de danse le matin : ballet, pointe, et classe de partenaire. Ensuite, quatre cours d'école : français, biologie, maths et art dramatique.

— Lucie ! Ta jambe n'est pas droite ! Corrige cela tout de suite ! me dit M. M.

Je regarde ma jambe gauche. Je me sens vraiment bizarre. Je n'ai jamais reçu d'observation aussi banale.

— Très belle extension de la jambe, Adèle ! dit M. M.

Je tourne la tête pour regarder Adèle. Elle a des cheveux blonds, des yeux bleus et c'est vrai que son extension de jambe est parfaite.

— Lucie ! Concentre-toi sur l'exercice !

Je m'aperçois que non seulement j'ai encore la jambe en l'air, mais aussi que tout le monde me regarde. Je me sens gênée. Mon premier cours de danse et déjà deux fautes ? Ce n'est pas possible. Je suis la meilleure, je ne reçois jamais de critiques. Tous les danseurs autour de moi sont super bons. Des postures parfaites, des corps parfaits. Tout le monde suit bien la musique, ils ont tous de bonnes expressions faciales. Et puis, il y a moi. Les meilleurs danseurs, ce sont eux, pas moi. Je ne suis plus la meilleure.

* * *

Je suis assise dans la salle commune. Un garçon très grand, en chandail noir de l'ÉNB et en jeans bleu, regarde la télévision. Son visage est long et plein de taches de rousseur, sa peau est bronzée par un été passé au soleil. Ses yeux sont bleus et ses cheveux noirs, courts et mouillés. J'imagine qu'il vient juste de sortir de la douche.

Je retourne à mes devoirs de maths, que je ne comprends pas. À cause des événements du matin, j'ai été incapable de me concentrer sur mes cours! Je laisse échapper un gros soupir et me laisse tomber par derrière, contre le dossier du divan. Le garçon se détourne de l'écran et me regarde d'un air narquois.

— Quelque chose ne va pas ? Tu veux changer de chaîne ? me demande-t-il en prenant la télécommande. Son nom est Matthew Beckett et j'adore son sourire.

— Oh! Non, non. C'est juste ce devoir de maths que je ne comprends pas! Il tend la main et j'y dépose mon cahier. Ses mains sont vraiment grandes...

— *Well*, il faut que tu trouves les coordonnées et que tu remplaces les variables de l'équation! *Got it ?* Il a un fort accent franco-ontarien. Il me sourit et me rend le cahier. Je réussis à terminer mon devoir, puis retourne à ma chambre. Assise sur mon lit, je ne peux pas m'empêcher d'appeler ma mère et de lui parler de mon horrible journée.

* * *

La musique de Mozart joue dans le studio. Je me prépare à faire une pirouette. Au quatrième temps, je fais un relevé avec mon pied gauche et je glisse mon pied droit sous mon genou. En m'appuyant sur le genou droit, je m'élance et tourne pour faire une pirouette double mais... je ne la finis pas comme les autres filles. Je suis presque tombée sur les fesses!

— Lucie! Que se passe t-il ? rugit M. M.

– Je… je ne sais pas ! réponds-je avec terreur. Son visage long et ses yeux gris-vert me regardent intensément. Ses sourcils se rapprochent et sa moustache est toute déformée par une expression de colère.

– Allons ! Restez concentrés ! Ne faites pas comme Lucie ! crie M. M.

Tout à coup, des larmes apparaissent dans mes yeux, ma vue est toute brouillée. Je me force à les retenir. On ne pleure pas durant le cours de danse et on ne pense certainement pas à autre chose. Je ne suis plus la meilleure. J'étais la meilleure à Montréal, mais à l'ÉNB, je suis une simple danseuse de ballet. Si je ne suis plus la meilleure, qui suis-je ?

* * *

– Lucie ! Ne t'inquiète pas ! me dit Alessandra en me frottant le dos.

Je pleure, assise dans ma chambre. Tout à coup, quelqu'un cogne à la porte. Je lève la tête et vois Matthew. Son sourire est inquiet. Il entre et vient s'asseoir avec nous. Je pleure encore plus fort.

– *Dont cry !* dit Matthew. Il me donne un mouchoir.

– Pourquoi tu pleures, Lucie ? me demande Alessandra.

Je lève la tête, essuie mes larmes et je me lève pour faire face à mes amis.

– Je ne sais plus qui je suis.

– Tu es notre amie, Lucie ! répond Alessandra.

Tous deux se lèvent et me donnent un gros câlin.

– Tu n'es peut être pas la meilleure ballerine, mais avec *a little determination*, tu peux être la meilleure Lucie, me dit Matthew.

Je souris, j'ai de la chance d'avoir des amis comme eux.

– Vous allez m'aider ?

– Of course!
– Naturalmente!

* * *

Le studio est baigné de lumière et le plancher de bois franc est recouvert d'arcanson. Trois murs sur quatre supportent deux niveaux de barres rondes et le quatrième est recouvert d'un miroir. Il y a un grand piano noir dans le coin. Quand j'entre dans la pièce, garçons en T-shirts blancs et filles aux cheveux serrés dans un chignon s'étirent à la barre.

— Bonjour Mme Eustace! crient les danseurs à l'unisson.

Je les salue et pose mon sac à côté du piano.

— Tout le monde à la barre! Nous allons faire un exercice de pliés.

Je signale au pianiste de commencer à jouer. En regardant mes élèves, je ne peux pas croire qu'il y a vingt ans, j'étais à leur place. Après mes deux années d'études à l'ÉNB, je suis allée à l'Université de Toronto pour obtenir un baccalauréat en enseignement. Et maintenant, je suis la directrice artistique de l'ÉNB. Ma meilleure amie Alessandra est la danseuse étoile de l'école, probablement pour la dernière année, et mon mari, Matthew, est danseur solo ici. Je me dis aussi que si j'avais été meilleure danseuse, je n'aurais jamais découvert ma vraie passion : l'enseignement. J'adore enseigner aux jeunes le ballet, la détermination et la confiance en eux-mêmes. Après que je fus nommée directrice artistique, Matthew m'a dit que je n'étais peut-être pas devenue la meilleure ballerine, mais que j'étais la meilleure professeure!

Corinne Box
École secondaire Gabriel-Dumont, London

Corinne a 17 ans et est en 11ᵉ année à l'École secondaire Gabriel-Du-mont. Elle adore danser et le ballet est une de ses plus grandes passions. Elle adore aussi la littérature fantastique et la science-fiction. Durant son temps libre, elle se passionne pour l'écriture d'histoires.

La plus grande décision de ma vie

M ON AVENIR, qui m'avait toujours semblé si loin, était soudainement à ma portée. Le temps de prendre la plus grande décision de ma vie était venu : j'entamais la quête de mon destin ! Mais par où commencer ? Où chercher ? Mais surtout, où trouver ? Ma tête débordait de toutes ces questions sans réponses et je finis par m'endormir, malgré le bourdonnement de mes mille et une angoisses. Je me levai après un sommeil troublé. J'étais décidé. Ce matin, j'irais chercher de l'aide !

C'est exactement ce que je fis. Avec l'allure d'un homme en mission, je me dirigeai au bureau de l'orienteur. D'après mes amis, cet homme avait le pouvoir d'éclairer mon futur. Tous ressortaient de son bureau l'esprit serein, confiants dans leur avenir et sans souci. C'était mon tour ! Je cognai trois fois à la porte. Elle s'ouvrit et le visage chaleureux d'un homme dans la soixantaine m'accueillit.

— Bonjour Monsieur, pouvez-vous m'aider ?

— Certainement, entrez, me répondit-il, toujours souriant.

En entrant dans son bureau, je fus étonné par les murs recouverts de livres, certains poussiéreux, d'autres fatigués par l'usage.

— Que puis-je faire pour vous ? continua-t-il.

Je soupirai et j'entrepris la longue liste de questions qui me tourmentaient sans relâche. Le vieil homme répondit d'un simple « Ah, je vois ».

— Alors, qu'en pensez-vous ? Que devrais-je faire ? dis-je.

— Ce n'est pas à moi de vous le dire, répondit-il. Mais je peux tout de même vous aider.

Je me réjouis intérieurement à cette nouvelle.

— Alors dites-moi, continua-t-il, qu'est-ce qui vous rend heureux ? Où vous voyez-vous dans cinq ou dix ans ?

— Beaucoup de choses me rendent heureux, Monsieur. Je ne suis pas une personne difficile. J'aime le travail bien fait. Je me plais entouré de mes amis et de ma famille. Je me plais à aider les autres. Je suis une personne heureuse, vous voyez. D'ici cinq à dix ans, je me vois toujours aussi heureux. Mais où ? Je ne pourrais pas vous le dire. C'est pour cette raison que je suis venu vous demander de l'aide.

— Regardez derrière vous, me dit-il.

Je me retournai vers le mur de livres.

— Le mur des métiers ! Si vous cherchez un métier, fouillez ici ! Regardez à votre droite : le mur des collèges. Et à votre gauche : celui des universités. Chaque bibliothèque contient toute l'information sur le domaine qui vous intéresse. Il ne vous reste plus qu'à faire un choix.

— Mais je ne sais pas où je vais me diriger ! criai-je, frustré.

— Alors partez et revenez quand vous aurez une idée. Pensez fort, réfléchissez à votre avenir et à ce que vous voulez. Quand vous le saurez, revenez et je vous aiderai davantage.

— D'accord, je vais y penser. Merci, répondis-je en sortant de son bureau.

Ce que mon orienteur m'avait dit résonnait fort dans mes oreilles. Les métiers, les collèges, les universités. Où aller ? Que de choix ! Les métiers n'étaient guère un endroit pour moi, une personne peu habile de ses mains. Je préférais de loin un chemin plus académique. Je penchais donc plus vers l'université. Mon rendement scolaire me le permettait certainement. Mais que faire comme études universitaires ? Où étudier ? Je me rendais compte que j'étais sorti du bureau de l'orienteur avec autant de questions que lorsque j'y étais entré. Pourtant, je m'approchais tout de même un peu plus de la réponse à la plus grande question de ma vie. Je savais que ce serait l'université. Des trois portes, toutes verrouillées, une m'avait été ouverte ; celle de l'université. Je pouvais maintenant explorer avec aisance le long couloir de ces institutions, parsemé d'autres portes toujours closes. Il ne me restait plus qu'à trouver laquelle de ces portes était la bonne. Cependant, je risquais de me perdre dans ce couloir sombre.

Plusieurs semaines ont passé, entre ma première rencontre avec l'orienteur et la seconde. Je pris le temps d'explorer les profondeurs de ce corridor. Au bout de mes recherches, le dédale de passages obscurs n'avait plus de secret pour moi. Chaque recoin m'était familier. Les portes ne me dissimulaient plus rien. Je savais où chaque décision me mènerait. Pourtant, malgré toutes mes connaissances, j'hésitais encore. Aucun chemin ne me semblait mieux qu'un autre. J'étais perdu dans un labyrinthe que je connaissais pourtant de fond en comble !

Un matin, mon ami s'adressa à moi. Il me dit qu'il souffrait du même désespoir que moi face à son choix de carrière. Comme moi, il était perdu et ne savait pas où aller. Je lui tendis la main et lui dévoilai les résultats de mes recherches. Ensemble, nous explorâmes les couloirs sombres et je lui dévoilai tous les secrets du labyrinthe. Peu de temps après, il trouva une porte entrouverte : celle de son avenir. Au cours des jours suivants, j'accompagnai d'autres amis qui, eux aussi, me demandaient de l'aide. Je me sentais fier et heureux d'avoir pu aider mes amis. Je comprenais tout à fait leur situation et j'étais plus que content de les voir sortir des allées sombres d'un futur incertain. Mais pourquoi était-ce si difficile pour moi, alors que je pouvais conseiller les autres ?

L'idée me frappa comme un coup de foudre. Mon cœur bondit de joie ! Je deviendrai le gardien de ce labyrinthe. Je montrerai le chemin aux égarés. Je serai celui qui illumine les couloirs sombres pour les autres. Je serai… orienteur.

Pierre Thabet
École secondaire Béatrice-Desloges, Orléans

Pierre Thabet est né en Angleterre. Sa mère vient de France et son père est Égyptien. Jusqu'à sa 6e année, il a fait sa scolarité en anglais. C'est à sa mère qu'il doit sa maîtrise du français, à l'oral comme à l'écrit, et c'est à elle qu'il dédie cette histoire.

Sujet 390

COUCHÉE DANS la boue froide et visqueuse, je ne bouge pas. J'essaye de me lever, de tendre les bras, d'attraper une des branches d'arbres qui m'entourent. Mais au lieu de venir à mon secours, elles m'étouffent et m'aveuglent, m'empêchant de voir le ciel et les nuages noirs qui s'approchent au-dessus de mon corps cloué au sol. Il pleut. La chair qui recouvre mes os devient gouttes. Immobile, je fixe l'infinité d'en haut. Le sable mouvant qu'est cette terre sous mon dos m'aspire et je m'enfonce doucement dans le sol.

* * *

L'humidité froide a fait place à un temps plus sec et chaud. Il fait nuit et le peu de lumière ambiante provient toujours de la lune qui traverse les nuages, mais elle est filtrée par une petite fenêtre placée loin au-dessus de ma tête. Il pleut toujours, et le bruit du vent qui traverse cette tempête remplit le silence enfoui en moi. Je touche l'objet mou sur lequel je suis couchée et découvre que je suis maintenant allongée sur un lit. Je me redresse, dépose les pieds sur le carrelage glacé et je me lève. Un mince tissu me couvre, une robe peut-être. Je tâte le mur rugueux de la main et essaie de comprendre où je suis, mais plus que tout, de savoir qui je suis.

Je me mets à marcher lentement. Les images passent devant mes yeux, comme se succèdent au toucher les bosses et les creux de la paroi qui m'emprisonne. Au fur et à mesure que j'avance, je découvre des spectres longs et minces qui se penchent entre eux et se murmurent des choses. J'entends une voix susurrer : « Parfaite, tu es parfaite. » Mes jambes et mes bras sont blancs, sans poils, sans cicatrice, sans rien. Je baisse la tête et constate que je suis nue sous mon ample chemise ouverte. Je contemple mes seins, mon ventre, mais quelque chose ne va pas. Il manque une marque, une trace qui prouverait une naissance, qui prouverait mon existence. Je sais que ne pas en avoir me rend différente des humains. Mais on me chuchote toujours que je suis parfaite et, à contrecœur, j'essaye d'y croire.

Un tournant dans le mur m'arrête brutalement, c'est finalement le coin. J'hésite, mais le fais quand même. Je soulève le vêtement et touche la peau douce de mon ventre, complètement plat : le nombril n'y est pas.

Soudainement, une lampe jaunâtre s'allume au plafond de ma cellule. Paralysée, je découvre que cette salle ne fait pas plus de cinq mètres carrés, et qu'à part le lit placé contre le mur, elle est vide. Aucun spectre ne l'habite, sauf dans mon esprit manipulé. Les briques marron et grises de cette enceinte ont été mal disposées, lui donnant un relief inégal. Je remarque une porte en bois foncé opposée au lit et au-dessus du lit, un petit miroir.

Sans aucune retenue, je me précipite, monte sur le matelas et, pour la première fois, me regarde. La fille dans le miroir a le visage fin, des cheveux noirs et bouclés qui lui descendent aux côtes, des lèvres pâles et de grands yeux gris. Je la trouve jeune et belle. Je me touche le front, les joues, le nez, les oreilles. Je regarde droit dans ces grands yeux qui me fixent et je me pose la même question : « Qui suis-je ? » Dans toute cette agitation, je ne remarque pas les petites lignes noires du côté droit de mon cou.

Finalement, je l'aperçois, ce code-barres imprimé sous ma mâchoire. Une empreinte placée là pour une raison bien précise, dont je ne me souviens plus. Je l'effleure du bout des ongles. Je ressens une douleur subite et je me rappelle l'homme qui, de la paume de sa main, appuyait fermement contre le haut de ma tête, me forçait à tendre le cou, pour enfin imprimer ces trois chiffres : 390. Nous sommes nombreuses à nous faire tatouer, nous nous ressemblons toutes. Seuls ces trois maudits chiffres nous différencient. Mes idées commencent à se remettre en place et l'horreur de la situation me saute aux yeux.

Il ne pleut plus. Quelques gouttes glissent encore sur la vitre, fatiguées, pour enfin disparaître plus bas. Le brouillard se dissipe, le vent cesse de hurler pour laisser place à un calme limpide.

Il faisait froid et sombre quand Ils m'ont rattrapée. J'avais couru et couru entre ces arbres qui touchaient le ciel. Néanmoins, Ils avançaient vite et avaient fini par me rejoindre. Plaquée au sol, je savais qu'Ils avaient gagné cette fois, mais que ma tentative de fugue ne serait pas la dernière, bien qu'elle fût la première tentée par l'une d'entre nous.

Nous rêvons toutes de fuir ce destin qui nous a été imposé contre notre volonté, mais personne n'a eu le courage ou même l'idée de le faire avant moi. Nous sommes toutes les mêmes, conçues de manière artificielle dans une nacelle, jusqu'au développement complet de nos organes et de notre cerveau. Le liquide gris et visqueux dans lequel nous demeurons durant les seize premières années de notre vie nous alimente et remplace le cordon ombilical.

Ils nous créent, nous éduquent et font de nous de vrais robots, dans le but final de servir l'espèce humaine. Certaines d'entre nous deviennent caissières ou femmes de ménage. Celles qui ont le plus de chance héritent d'un meilleur statut, comme celui de professeure ou de secrétaire. Nous sommes des clones, oui, des copies les unes des autres, sans nom ni prénom, mais identifiées par un numéro, et ayant un rôle spécifique à jouer. Nous sommes parfaites, fabriquées de manière à ne pas pouvoir nous rebeller.

Ça n'a pas marché pour moi. J'ai défié mon destin et ce qu'Ils attendent de moi. Je suis plus que parfaite. Je suis spéciale. Je ne suis pas comme les autres, j'ai ma propre identité. Je veux vivre, exister, comme une vraie femme. Ce qu'Ils tentent de faire de nous n'est pas correct, n'est pas moral. Et je suis prête à me battre, à lutter contre cette injustice, avec pour seule arme mon identité, ma personne. Je suis différente de celles qui subissent leur sort, et différente aussi des vrais êtres humains, qui abusent de nous et nous exploitent.

Le bruit de pas derrière la porte me tire de mes pensées. Ils viennent me chercher, pour me forcer à reprendre la place qu'Ils ont choisie pour moi. Mais je ne céderai pas. Je sais qui je suis. Je sais ce que je veux.

Des rayons de soleil emplissent rapidement la pièce. La pluie s'est évaporée et la mélodie des oiseaux au loin remplace le silence qui était enfoui en moi. Assise et calme, je vois la poignée tourner doucement.

La porte s'ouvre.

Myriam Michel
Collège français de Toronto

Depuis sa plus tendre enfance, Myriam a beaucoup voyagé, de l'Europe à l'Orient, jusqu'en Amérique du Nord. Voyager d'un pays à l'autre ne lui plaisait pas beaucoup. Toutefois, en grandissant, elle a découvert les côtés positifs d'avoir pu, à un aussi jeune âge, vivre au sein de traditions différentes. C'est grâce à cela qu'elle parvient à écrire des poèmes et des histoires transmettant des émotions qu'elle a ressenties.

Le village

L E SILENCE RÈGNE dans la vallée. Il se cristallise dans l'air frais descendu des montagnes et même les oiseaux hésitent à déchirer sa perfection sublime par leurs chants. Dans le village, la première goutte d'eau printanière se balance au bord d'un toit, s'agrippant tendrement à ses consœurs emprisonnées dans la glace avant de plonger vers la terre et la liberté.

SMASH!

— Dehors! hurla le forgeron du village, en projetant violemment le jeune homme par la porte. Tu ne seras jamais un forgeron! cracha-t-il vicieusement en lui claquant la porte au nez.

Comme pour accompagner le geste du forgeron, un glaçon se détacha du toit et heurta le crâne du garçon. Le 26e enfant né au cours de la 95e année du village se redressa lentement sous le regard sympathique de son frère, qui l'attendait un peu plus loin. Que faire de 9526? À l'âge de 17 ans, chaque membre du village devait choisir et mériter son vrai nom, celui qui allait définir sa vie et son rôle dans le village pour le restant de ses jours. Étant le dernier né de son année, 9526 était le seul à ne pas avoir encore choisi un nom. Son anniversaire approchait comme un ouragan à l'horizon, prêt à déclencher un pouvoir dévastateur. De son côté, 9526 dansait au bord de l'abîme, attendant le vent qui allait soit le faire basculer dans le gouffre ou lui donner le pouvoir de s'envoler. Son nom ne pouvait être choisi à la légère, mais après tout, sa fête n'était que le lendemain !

Son frère soupira. Que faire d'un jeune sans nom ? Sans conviction, sans talent particulier, sans même les outils pour le découvrir ? Que faire d'une personne qui ne se comprend pas elle-même ? Évidemment, toutes les tentatives de FERdérick pour lui enseigner le travail du fer avaient échoué. Peut-être que lui, ARThur, pourrait lui apprendre à être un artiste ? Il attendit quelques instants de plus, question de donner la chance à 9526 de se relever avec dignité. Ce n'était pas nécessaire qu'il sache qu'ARThur avait été témoin de l'incident.

— Hé, 9526 ! s'écria-t-il après un intervalle raisonnable. Comment avancent les efforts pour te trouver un nom ? 9526 scruta attentivement ses pieds, la tête basse et le bec cloué.

« Typique », songea ARThur. Son petit frère ne disait rien, sauf lorsque c'était strictement nécessaire. Dans le passé, il avait cru que le silence de 9526 démontrait à quel point ce dernier était pris dans ses pensées. Cependant, lorsqu'il avait questionné son frère au sujet de son silence, celui-ci lui avait doucement répondu :

— Pourquoi parler quand ce que tu dis n'est ni plus beau, ni plus important que le silence ?

Depuis ce temps, ARThur s'était mis à observer son frère plus attentivement. C'est ainsi qu'il réalisa que les silences de 9526 témoignaient plutôt d'un sens inné de l'observation. Son frère voyait et ressentait tout. Peut-être même plus qu'il ne l'aurait dû.

— Viens, peut-être que je peux t'aider. Je vais t'apprendre à être un artiste, comme moi. Ce serait certainement un bon métier pour toi ainsi qu'un atout pour le village.

9526 suivit son frère en silence. ARThur continua de bavarder inutilement, ignorant l'appréhension qu'éprouvait son petit frère. Les souvenirs de la forge battaient encore dans son crâne, comme la pulsation d'un marteau. La chaleur suffocante, l'odeur de soufre et le grincement du métal agressaient ses sens. Pour 9526, la forge était un enfer, que même l'espoir d'une brise ne pouvait rafraîchir. Le soleil, les oiseaux et le vent dans les arbres étaient exclus de ce monde de feu. FERdérick appartenait à sa forge, encore plus que sa forge ne lui appartenait. Sa passion explosive et sa ferveur se reflétaient dans son métier. Par contre, 9526 ne pouvait endurer un tel endroit. Le studio d'ARThur était moins pire, mais la simple idée d'être enfermé entre les quatre murs d'une salle, tout juste après s'être libéré de sa propre version du monde d'Hadès, lui semblait épouvantable.

— Et voilà ! s'exclama ARThur avec grandiloquence. Mon studio !

9526 soupira. Il connaissait trop bien ARThur pour penser qu'il allait vraiment lui transmettre sa passion pour l'art. L'aîné avait certainement l'intention et la volonté de le faire, mais il ne pourrait résister à la tentation de discuter de ses propres œuvres. Les prochaines heures ne fourniraient rien de plus qu'une grande démonstration de la virtuosité d'ARThur, dans le but que 9526 absorbe un intérêt artistique par osmose. L'artiste lui dévoila une toile représentant un paysage qu'il venait tout juste de terminer. 9526 la regarda d'un œil critique. Elle était sûrement très belle pour une peinture, mais il aurait préféré voir un vrai paysage. L'image d'ARThur était morte. Emprisonnée sur un canevas, l'image ne changerait jamais, tandis qu'un paysage vivant se développerait perpétuellement. 9526 aurait pu regarder le même champ jusqu'à la fin des temps sans jamais se fatiguer, car à chaque moment, il y aurait de nouveaux détails à observer. Un renard dans son terrier, une fleur qui sort de son bourgeon ; toujours le même paysage, mais jamais pareil. Mais comment faire un métier de cette passion ?

ARThur cherchait quelque chose de spectaculaire et de vibrant pour définir sa vie, tandis que 9526 cherchait plutôt la délicatesse, le subtil, la beauté et la simplicité du moment. Selon ARThur, 9526 oubliait de vivre. Selon 9526, ARThur oubliait ce qu'était la vie, la vraie.

9526 se leva pour quitter l'atelier. Malgré ses bonnes intentions, son frère ne pouvait l'aider. C'était impossible qu'il se trouve un nom pour le lendemain. Les seuls moments où il ressentait de l'espoir, c'était lorsqu'il se promenait dans la forêt, mais ce n'était même pas une corvée. La forêt était tout simplement là. Ses pieds le menèrent automatiquement vers les bois, puis il s'écrasa au pied d'un arbre, la tête entre les mains. « Peut-être devrais-je m'appeler Inutile, puisque c'est le seul mot qui semble me définir », pensa-t-il sombrement.

Tranquillement, il se laissa aller à observer le paysage. La beauté et la désinvolture de la nature l'envahirent, la sagesse et la force des arbres, la douceur de l'herbe. La forêt évoluait avec la constance du temps et 9526 voyait l'éternité s'étirer devant lui. Les feuilles des arbres lui chuchotaient des secrets… si seulement il avait pu les comprendre…

Crak !

9526 se réveilla en sursaut et chercha hâtivement la source du bruit. À quelques mètres de lui, une branche amochée était tombée. Puis, il examina attentivement l'arbre en question pour identifier d'autres faiblesses. La teinte jaunâtre du haut de l'arbre capta son attention. « Des mycètes », conclut-il. Il était évident que, sans intervention, l'arbre entier allait mourir dans quelques mois. Par contre, cela vaudrait peut-être mieux. L'arbre était vieux et malade, son décès laisserait de la place pour des nouvelles plantes et puis… 9526 s'arrêta brusquement de spéculer. N'y avait-il pas un métier qui consistait à s'occuper des plantes et à les soigner?

— Botaniste! s'écria-t-il, dans le vide.

Parfait! Il passait déjà tout son temps dehors avec les plantes, mais il n'y avait jamais pensé. Fou de joie, il reprit le chemin du village à toute allure. Pourtant, il lui manquait encore un nom. Il s'arrêta net une deuxième fois. Le nom. Il fallait choisir un nom… « Botaniste », marmonna-t-il. « Botaniste, … Botanie, … Botonie, … BoTony! »

Il leva ses yeux vers la forêt, son vieux refuge, et la regarda avec un nouveau sentiment d'appartenance. Le cœur rempli de joie, il s'avança vers le village, à la nuit tombante. Une journée terminée; un destin qui commence.

Fiona McDonald

École secondaire catholique Nouvelle-Alliance, Barrie

Fiona, élève de 11ᵉ année à L'École Nouvelle-Alliance, est tombée amoureuse de l'écriture dès un jeune âge. Sa première œuvre, Ma mère est une fée, *rédigée à l'âge de 7 ans, fut l'étincelle d'une passion féroce pour l'imaginaire qui brûle encore en elle aujourd'hui.*

Table des matières

IDENTITÉS RELIGIEUSES ET CULTURELLES

ÊTRE DIFFÉRENT

SEXE ET IDENTITÉ

UNE IDENTITÉ EN DEVENIR

IMPRIMÉ SUR PAPIER
100 % FIBRES POSTCONSOMMATION CERTIFIÉES FSC
CERTIFIÉ ÉCOLOGO, PROCÉDÉ SANS CHLORE ET FSC RECYCLÉ
FABRIQUÉ À PARTIR D'ÉNERGIE BIOGAZ.

Photographie de la couverture :
Leigh Prather (Shutterstock® images)
Coordination : Véronique Lavoie-Marcus
Maquette et mise en pages : Anne-Marie Berthiaume

Dépôt légal, 2e trimestre 2012
ISBN 978-2-89597-266-2

ACHEVÉ D'IMPRIMER EN MAI 2012
SUR LES PRESSES DE MARQUIS IMPRIMEUR
CAP-SAINT-IGNACE (QUÉBEC) CANADA